Michael

Bela Bartoks Variationstechnik

FBMw 27 Forschungsbeiträge zur Musikwissenschaft

herausgegeben vom
Gustav Bosse Verlag Regensburg

Band XXVII

BELA BARTOKS VARIATIONSTECHNIK

dargestellt im Rahmen einer Analyse
seines 2. Violinkonzertes

von Frank Michael

1976 Gustav Bosse Verlag Regensburg

Frank Michael

Bela Bartoks Variationstechnik

dargestellt im Rahmen einer Analyse
seines 2. Violinkonzertes

1976
Gustav Bosse Verlag
Regensburg

ISBN 3 7649 2137 4

Inhaltsverzeichnis

Vorwort

B é l a B a r t ó k komponierte 2 Violinkonzerte. Das Manuskript des 1. Konzerts aus dem Jahre 1907/08, das bis 1958 verschollen war+), schenkte er der Geigerin Stefi Geyer. Obwohl 30 Jahre vor dem 2. Konzert geschrieben, muß man dieses 1. Konzert dennoch als Vorläufer des zweiten verstehen. Das 2. Konzert entstand in der Zeit von August 1937 bis Dezember 1938 in Budapest. Ursprünglich schwebte Bartók ein groß angelegtes Variationenwerk für Violine mit Orchesterbegleitung vor, Z o l t á n S z é k e l y bestand aber auf der "klassischen" Form des Konzerts. Als das Konzert komponiert war und S z é k e l y es als gut befand und akzeptierte, gestand ihm Bartók, daß er eigentlich seinen Plan doch ausgeführt hätte, denn der dritte Satz sei eine freie Variation des ersten. (Lajos Lesznai: Béla Bartók). Wir werden sehen, daß darüber hinaus auch der zentrale langsame Satz, ein - allerdings sehr freier - Variationszyklus in sich, - und als solcher von Bartók nicht direkt bezeichnet- in unmittelbarer Beziehung zum 1. und 3. Satz steht, sozusagen die "Brücke" zwischen den beiden Ecksätzen bildet. Da die Variationstechnik an diesen beiden Ecksätzen evidenter ist, möchte ich zunächst diese beiden besprechen und den 2. Satz erst zum Schluß.

In dieser Arbeit kann nicht auf die Einflüsse, die Bartóks Stil im einzelnen prägten, eingegangen werden; es sei aber noch eine Äußerung Bartóks anläßlich eines Interviews mit Denis Dille 1937 zitiert, die mir seine kompositorische Basis in der Volksmusik - besonders auch betreffs seiner Variationstechnik - extrem zu erhellen scheint:
"Es ist aber klar, daß Volksmelodien, besonders in ihrer Originalgestalt, sich nur schwer in den sogenannten absoluten Musikformen verwerten lassen. Die Melodien, die in meinen Streichquartetten und anderswo ertönen, unterscheiden sich ihrem Wesen nach nicht von den Volksmelodien; nur ihr Rahmen ist strenger, das ist alles.Man findet im allgemeinen, daß ich auf die technische Durchführung großes Gewicht lege, daß ich eine Idee nicht zweimal auf dieselbe Weise auftreten lasse,

---

+) Der erste Satz des Konzerts wurde als "Ein Ideal" von "Deux Portraits" bereits 1909 aufgeführt. Das zweite Portrait("Ein Zerrbild") ist eine V a r i a t i o n des ersten.

daß ich niemals unverändert wiederhole; das hängt mit meiner Vorliebe für die Variation, für die thematische Umgestaltung zusammen. Es ist kein leeres Spiel, wenn ich zum Beispiel in meinem zweiten Klavierkonzert das Thema "umkehre". Diese Variabilität und diese Verschiedenartigkeit findet man auch in unserer Volksmusik und sie ist zugleich ein Grundzug meiner Natur."

I. Die 3 Hauptthemen, ihre Varianten und ihre Verwandtschaft untereinander, sowie die von diesen abgeleiteten Themen des 3. Satzes.

a) Das 1. Thema beginnt in der Tonika h (H) mit dem Auftakt zu T. 7/I. Im wesentlichen diatonisch, ist sein charakteristisches Intervall die Quarte bzw. Quinte, die sich als konstruktives Intervall für das ganze Konzert erweisen wird. Setzt man den Schluß des 1. Themas und den Beginn der 1. Überleitung in T. 22/I an, so stellt es sich als einen großen Bogen dar mit 2 viertaktigen, 2 zweitaktigen und 1 dreitaktigen Periode. (a a' b b ' c).
a' ist die "tonale Beantwortung" von a, b' eine Sequenz von b, auch hier wieder von T. 15 zu 16 und T. 17 zu 18 Quartintervalle e-h und d-a, sozusagen in der Vergrößerung und isometrisch (im Baß deutlich als Gegenbewegung), außerdem in der Violine in T. 16 und 18 dieselben Töne, e-h und d-a rhythmisiert 1 Oktave tiefer in der Verkleinerung, d.h. statt:

♪ 𝅗𝅥 → ♫. ♪

Der Höhepunkt des Themas wird in zwei großen Wellenbewegungen T. 19 auf der None gis des Dominantakkords erreicht, der Abstieg erfolgt sehr schnell innerhalb von 3 Takten.

Zur Analyse: Tonalitätssymbole richten sich nach der Harmonielehre von Wilhelm Maler.

Bei Notenbeispielen werden folgende Abkürzungen verwandt:
U = Umkehrung
K = Krebs
Rh = Rhythmus
2- = kleine Sekunde
2+ = große Sekunde (analog alle Intervalle)

Tafel I   1. Thema. Bau und einige Derivate

Dieser Teil c nimmt die Rhythmik des Kopftaktes (T.7) wieder auf, ebenso die charakteristische Quarte, jedoch in chromatischer Verdichtung. Chromatik findet sich auch in den Gegenstimmen von Flöte, Fagott und Klarinette, sowie in der Harmonik der Streicher über einem Orgelpunkt auf der Terz der Dominante.
Folgendes interessante Gerüst ergibt sich, wenn man das gesamte Thema mit seinem Kopfmotiv vergleicht:

Die Tonalität ist H. Der pendelnde Charakter des Themas wird teils durch ein Schwanken zwischen Moll und Dur (z.B. T. 7 Solo in natürlich-moll, Begleitung in Dur), teils durch ein pentatonartiges Kreisen, +) teils durch Synkopen erreicht. (Zurückfedern auf einen schon erklungenen Ton typisch für pentatonische Melodiebildungen.)

Abgesehen vom Durchgang gis ist die Melodie bis hierhin streng pentatonisch. Dieses Zurückfallen auf einen Grundton ist sogar innerhalb der Perioden a (von h nach h) und a' (von fis nach fis) zu beobachten.

Dieser grundsätzlich pendelnde oder kreisende Charakter wird schon in den Takten 3 - 6, im "Vorhang" festgelegt. Hier liegt der Keim für das ganze Konzert. Seine enge Beziehung zum Hauptthema wird noch klarer, wenn die Solovioline diesen Gedanken bei Durchführungsbeginn T.115 vorträgt. (Siehe Notentafel I)

+) Siehe Fußnote S. 6

b) Das 2. Thema +) (T. 56 ff.) gehört zum Fortspinnungstypus. Obwohl stark chromatisch eingefärbt (geradezu glissandoartig) mit fallender Tendenz in den einzelnen Perioden, obwohl von fast gegensätzlichem Charakter zum 1. Thema, ist es dennoch strukturell diesem

---

Fußnote zu Seite 5: Bemerkenswert auch die Ähnlichkeit der grundsätzlichen Linienführung bei aller charakterlichen Verschiedenheit in den Hauptthemen von 1. und 2. Violinkonzert, wobei ausgesprochene Pentatonik im 1. Konzert erst in der Fortspinnung ab T. 5 erscheint:

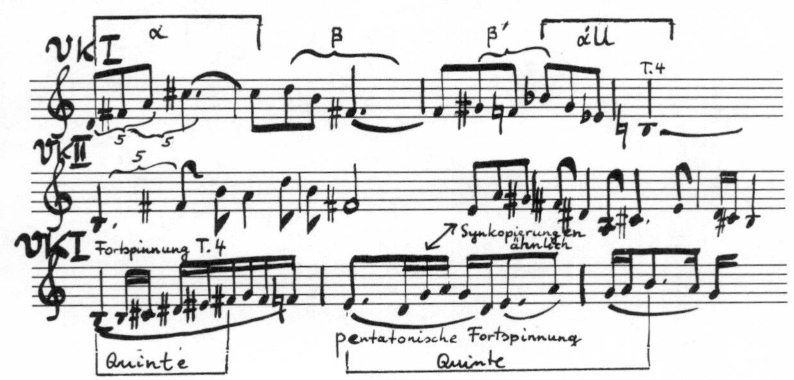

N.B. Grundsätzlicher Unterschied zwischen 1. und 2. Violinkonzert besteht im konstruktiven Intervall: VK I : Terz
VK II : Quinte

+) Auch dieses Thema scheint im 1. Violinkonzert seinen "Vorläufer" zu besitzen:

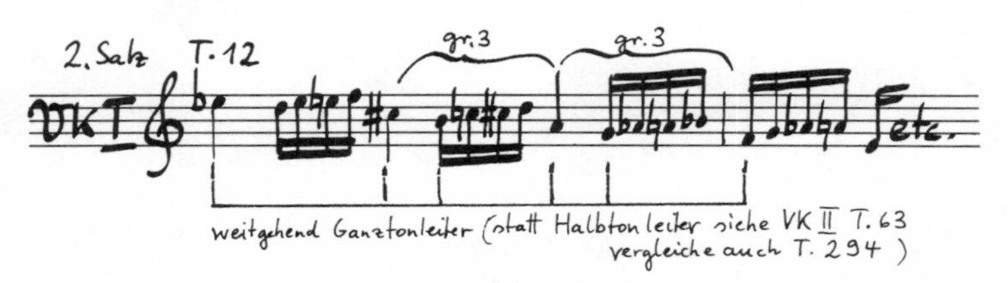

Tafel II 2. Thema:

α

T. 87/III

gliss.

T. 56/I

Umkehrung

diese Chromatik verlängert sich z. B. T. 258

Quarte

α'

5

α'

4

4

α Umkehrung

1 2 3 4 5 6 7 8 9 10 11 12

4

D T

α'

T. 241/I

tr

T. 91/III

auffallend ähnlich, sowohl im Detail (siehe auch Tafel II), wie auch im Großen:

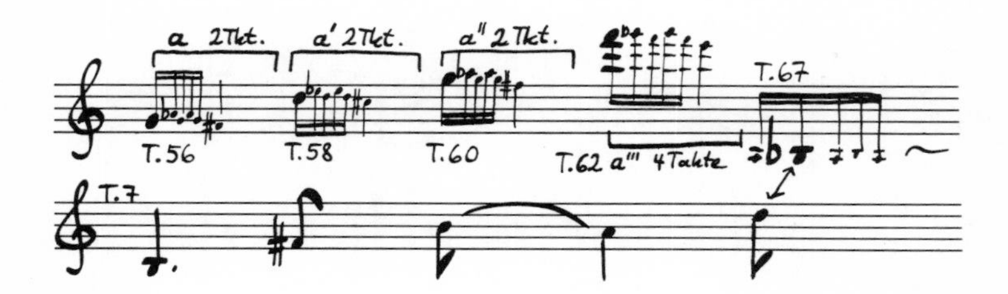

Auch in diesem Thema erfolgt einem schubweisen Aufstieg ein schnellerer Abstieg:

1.Th.: 4+4+2+2+3 (12 = 2+2+3)
2.Th.: 2+2+2+ 4 (6 = 2+2+2)

Den grundsätzlich formalen Unterschied wird man aber bei einem Vergleich mittels Buchstabensymbolik ermessen können:

1.Th.: a a' b b' c
2.Th.: a a' a'' a'''

Die Tonalität ist G, wobei durch Chromatik und Kontrapunkt diese Tonalität ständig verunklart und in Frage gestellt wird.

c) War das 2. Thema schon stark chromatisiert, so ist das 3. Thema (T. 73 ff.) streng zwölf-tönig gebaut, wenn auch keineswegs im orthodoxen Sinne der S c h ö n b e r g s c h e n Dodekaphonie. Die Zwölftönigkeit bezieht sich allein auf die Melodik, nicht jedoch auf die Harmonik. Zwar müssen alle 12 Töne erklungen sein, bevor ein Ton wiederholt wird, jedoch wird die Reihenfolge innerhalb des Zwölftontotals p e r m a n e n t variiert, desgleichen die melodische Kontur und damit auch die Intervallstruktur. (siehe Tafel III)
Trotz seiner Zwölftönigkeit ist das 3. Thema tonal angelegt, sowohl in seiner Gesamtheit bis T. 91 einschließlich, pendelnd zwischen der Tonalität A und D (Quarte!), wie auch im Detail (Entstehung von gebrochenen Dur- und Mollklängen etc.). B a r t ó k erreicht hier einen Ausgleich zwischen Tonalität und Zwölftönigkeit, ähnlich wie A l b a n B e r g, allerdings in ganz anderer Weise, in seinem Violinkonzert.

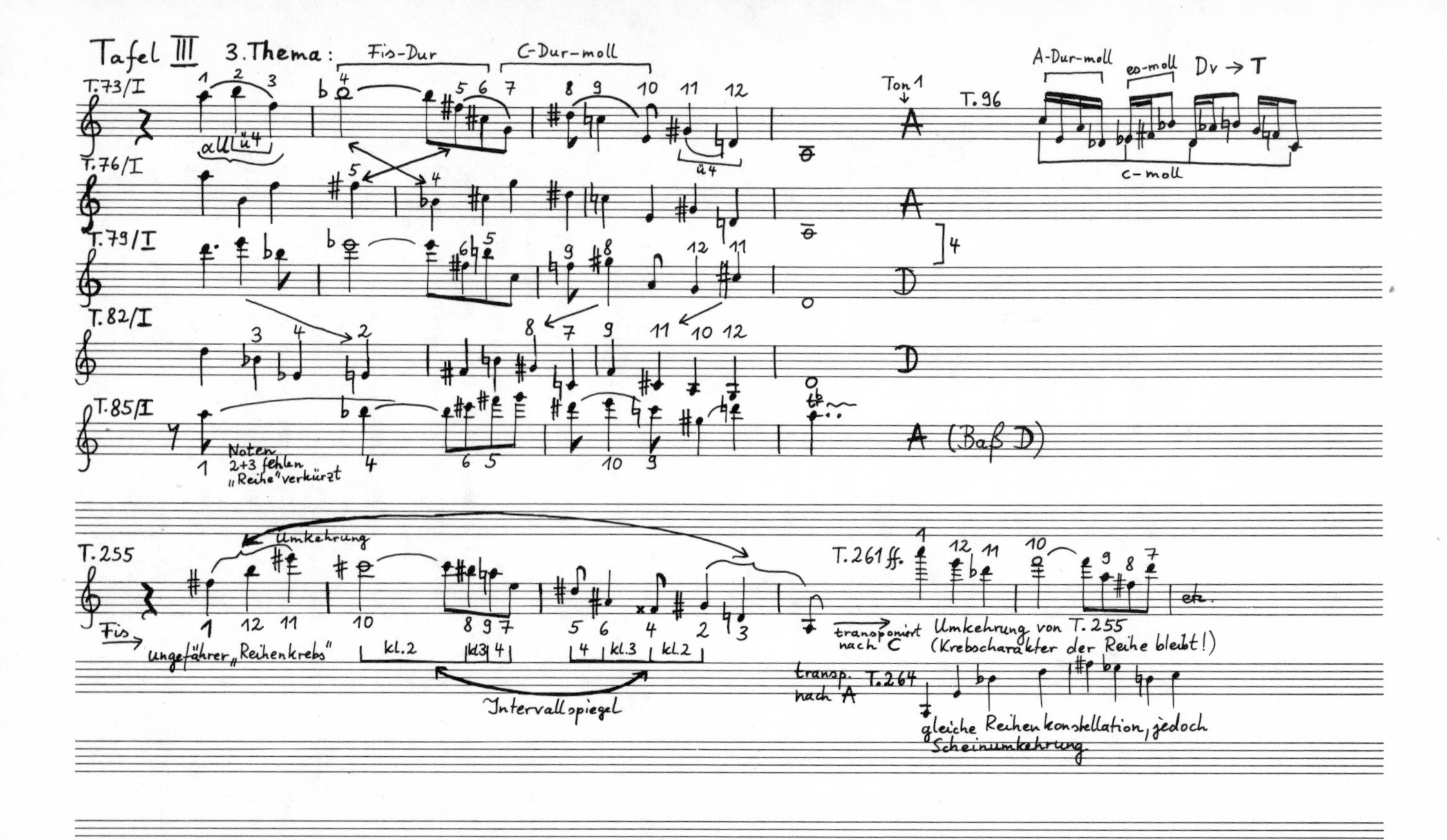

Tafel III
3. Thema:
Fis-Dur
C-Dur-moll
T. 73/I
all ü4
ü4
Ton 1
A
T. 96
A-Dur-moll
es-moll
Dv → T
c-moll
T. 76/I
A
T. 79/I
4
D
T. 82/I
D
T. 85/I
A (Baß D)
Noten 2+3 fehlen
„Reihe" verkürzt
T. 255
Umkehrung
Fis
ungefährer „Reihenkrebs"
kl. 2
kl. 3
kl. 2
kl. 3
Intervallspiegel
T. 261 ff.
etc.
transponiert nach C
Umkehrung von T. 255
(Krebscharakter der Reihe bleibt!)
transp. nach A
T. 264
gleiche Reihenkonstellation, jedoch Scheinumkehrung

Die Verwandtschaft des dritten zum ersten Thema wird deutlich, einerseits durch die charakteristische Synkope in T. 75, andererseits durch seinen Beginn einer Umkehrung von α, durch den Tritonus in seiner melodischen Ausdrucksintensität geschärft, und drittens durch den Päon:

Auch hier wieder der pendelnde Charakter, im Großen (Tonalität A-D-A) wie im Kleinen z.B.:
Harfe:

oder in Melodik und Rhythmus der Solovioline T.85-86-87.
Ein entscheidender Unterschied dieses Themas zu den ersten beiden zeigt sich in der A l t e r n i e r u n g zwischen Solo und Tuttistreichern, wobei bei den ersten Malen die "Tuttiteile" isometrische schattenhafte Wiederholungen der Solo"reihen" darstellen. Diese Isometrie stammt aus den beiden ersten Takten des Konzerts (Harfe). Es entstehen ab Takt 73 folgende Perioden:

Solo Tutti Solo Tutti Solo Tutti Solo

$\underbrace{3 + 3}_{A} + \underbrace{3 + 3}_{D} + \underbrace{2 + 2 + 3}_{A}$

Einen langsamen Aufstieg und steilen Abfall gibt es hier nicht, alles scheint im Gleichgewicht, wenn auch in den ersten vier Perioden jeweils noch eine fallende Tendenz zu verzeichnen ist, eine Tendenz, die es mit dem 2. Thema gemeinsam hat, wenn auch in abgeschwächtem Grade. In den letzten drei Perioden gibt es nur noch ein Auspendeln, ein zur Ruhekommen mit dem Öffnen in die Frage.

d) Wie wir sahen, sind die drei Hauptthemen bei aller charakterlichen Verschiedenheit (vielleicht als episch, dramatisch und lyrisch zu bezeichnen) strukturell in vieler Hinsicht miteinander verwandt. Es gibt nun noch weitere themenartige Gebilde, oft mit Durchführungscharakter, die ich als "Zwitter"- themen ansprechen möchte, entstanden aus der direkten Verschmelzung einzelner Teile von zwei oder allen drei Hauptthemen im Sinne einer Contamination. Alle entsprechenden Themen und Motive hier anzuführen, würde den Rahmen dieser Arbeit sprengen, darum sei die Technik der "Zwitter"bildung und der oft daraus resultierenden p e r m a n e n t e n Variation an einigen markanten Beispielen gezeigt:

Beispiel 1: Hornthema T. 169 (Vergrößerung aus 1. Thema und Vorhang (Tafel I)).

Beispiel 2: Solothema T. 96, zwölftönig, wie 3. Thema auch mit stark tonalem Einschlag (Tafel III), die Figuration des 1. Viertels stammt aus der diatonischen, da in der Folge des 1. Themas auftretenden Überleitungsepisode T. 31, Rhythmus und Duktus des 2., 3. und 4. Viertels dagegen direkt vom 1. Thema (T. 15).

T. 106/107 

wird bruchlos zu

wobei β bereits vier Takte vorher in den Oboen, später in der Viola als vorbereitet wird. In der Umkehrung wird rückwirkend eine weitere neue Verwandtschaft zu der ungarisch gefärbten Schlußfloskel T. 10 deutlich. (siehe auch Umk. des 1. Th. T. 197). Dieses Motiv, in ähnlicher Gestalt auch im Konzert für Orchester und als Thema im Bratschenkonzert, jeweils im letzten Satz, ist diatonisch, dagegen wird es in Takt 204 als Steigerung zur Reprise hin chromatisiert, umtaktiert, mit einer rein chromatischen Gegenstimme verdichtet. Es entsteht eine um einen Ton verlängerte, vergrößerte

Umkehrung, deren Beziehung zum 2. Thema deutlich ist. Die ungeheuer vorwärtsstrebende Kraft dieser Stelle resultiert aus der plötzlichen Verunklarung und Mehrdeutigkeit des Metrums und natürlich der chromatisch sich hochwindenden Linienführung:

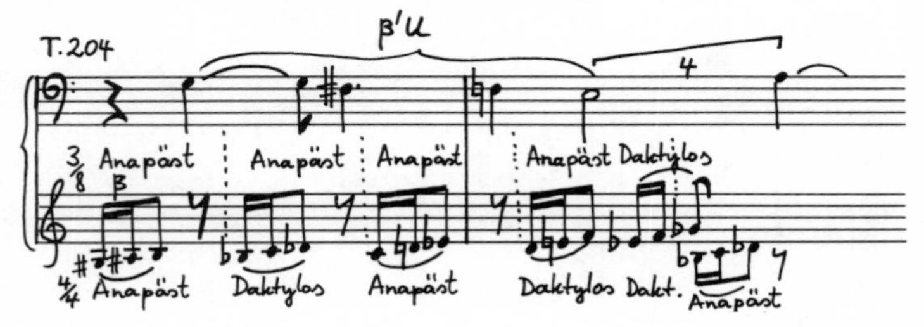

Der Daktylos setzt sich schließlich in der Oberstimme durch als chromatisch verengte Vorbereitung für den Auftakt der Reprise. Die Unterstimmen haben das Motiv als Anapäst in der Umkehrung (T.211/212). Weitere Varianten dieses Motivs β treten gekoppelt mit der "Vorhang"variation am Anfang des 3. Satzes auf, weiterhin werden sie mit der Variation des 2. Themas T. 94/III verschmolzen, ferner erscheinen sie Takt 295/III ff. im dreistimmigen enggeführten Kanon in der kleinen Sekunde. Letztere Version kennen wir schon von der Oboe T. 103/I. So sind die Verwandtschaften mehrfach miteinander verschränkt.

Interessant auch hier die Verwandtschaft von 1. Violinkonzert, 1. Streichquartett, 2. Violinkonzert und Bratschenkonzert, Beziehungen, die zweifellos trotz der großen Abstände der Entstehungszeiten nicht zu überhören sind:

Tafel IV
(Amplitude der jeweiligen „Pendelbewegungen" verschieden groß)
T. 151/I
Quarte
gr. 3
T. 164/I
T. 43/II
T. 56/I
T. 87/III
T. 63 II
Quinte
Quinte
T. 372/III
T. 29/III
kl. 6
kl. 6
T. 162/I
ü. 4
T. 113/III
kl. 3
T. 346/I
gr. 3
T. 219/III
Trp.
Kadenz/1. Satz
etc.
T. 423/III
chromatisierte Umkehrung zur Trompete
T. 228
Spitzennoten der Solo-Violine

Beispiel 3: T. 29 im 3. Satz: Dieses "Zwitter"thema ist geradezu ein Paradebeispiel für B a r t ó k s Technik der permanenten Variation. Die dissonante Tonrepetition +) (hier zur kleinen Sek. verschärft, außerdem verlängert und im Tempo erheblich angezogen), kennen wir aus dem 2. Satz T. 43, auf den ich in seiner Gesamtheit erst später zu sprechen kommen möchte. Außerdem erinnert es in seiner rigorosen Kopfform an den Beginn des 2. Themas (T. 56/I). Dies wird T. 28/III noch deutlicher. In der direkten Variation des 2. Themas T. 87/III wird die vielfältige Beziehung um ein Weiteres klarer durch den fast nahtlosen Übergang zu den repetierenden Triolen des "Zwitter" in T. 111/III. Die pendelnden Triolen des "Zwitterthemas", hier ebenfalls ins Wilde gewendet (intervallisch gespreizt) kann man einerseits auf T. 150/I ff., andererseits, und meines Erachtens sogar noch mit größerer Berechtigung, auf T. 160/I ff. zurückführen. Letzteres wird allmählich immer evidenter (T. 113/III und T. 160/III ff.) durch Hinzutreten des von T. 162/I bzw. T. 346/I ff. abgeleiteten Bläsersatzes. Dieser Bläsersatz wird T. 219/III wieder aufgenommen, hier noch deutlicher in seiner Verwandtschaft durch die sofortige Synkopierung. Das "Zwitter"thema in der Solovioline ist an dieser Stelle einem seiner Ursprünge, nämlich T. 43/II, wieder näher. Die Spitzennoten in den Zwischenspielen der Solovioline (T. 222/III) sind eine Variation des Bläser-Satzes T. 219/III als Umkehrung bzw. T. 346/I (Grundform) und damit auch von T. 182/I (Umkehrung). Die Art, die Dreiklangmixturen der Solovioline aufzubrechen, stammt eher aus der Solokadenz des 1. Satzes; diese Art der Linienführung der Violine wird später (T. 423/III) wieder aufgenommen, hier allerdings in einem ganz anderen Zusammenhang, nämlich als Variation des 3., des zwölftönigen Themas (siehe Tafel IV). So kann man sagen, daß die permanente Variierung Verwandtschaften und Beziehungen ermöglicht, die man nur, wenn man die Evolution dieser Motive kennt, als solche identifizieren kann. Diese Technik garantiert somit die Einheit in der Vielfalt, auch wenn sie der Hörer nur im Unterbewußtsein wahrnimmt.

Beispiel 4: T. 115/I ff. siehe Tafel V.

+) Ähnliche charakteristische Tonrepetitionen als Thema siehe auch Streichquartett Nr. 5, 1. Klavierkonzert, Klaviersonate (1926).

Tafel V
T. 115
T. 127 E.H.
T. 129 Solo-Vl.
Überleitung T. 113
T. 131 Horn
Überleitung T. 125
T. 139 Vc.+K.B.
kontrap. Überleitung
T. 129 E.H.
T. 146 Vc.+K.B.
Solo-Vl. nimmt Überleitungsmotiv auf und verarbeitet es mit Vorhangmotiv:
etc.

II. Die Großform des 1. Satzes

Die Architektur einer Komposition entfaltet sich nur in der Zeit, in einem Nacheinander. Das Verknüpfen der Teile zum Ganzen entsteht einmal durch dieses Nacheinander, zum anderen durch (unbewußte) Erinnerung an Gewesenes; Form entsteht durch Wiederholung im umfassendsten Sinne. Da die Zeitdimension so wichtig für ein musikalisches Kunstwerk ist, möchte ich bei der Besprechung der Großform des 1. Satzes folgendermaßen vorgehen:

a) Grober Überblick

b) Detaillierte sprachliche Darstellung "Takt für Takt"

a) Der 1. Satz ist ein freier und erweiterter Sonatenhauptsatz mit drei Themen. Die Durchführung beginnt T. 115 mit der Abwandlung des "Vorhang"motivs und beschäftigt sich ausschließlich mit Material des 1. Themas. (Wir sahen aber bereits im vorigen Kapitel, wie B a r t ó k durchführungsartige Techniken auch in anderen Teilen einsetzt). Die Reprise beginnt T. 213 und bringt alle Themen in der Umkehrung - außer dem jetzt verkürzten in der Durchführung ausführlich behandelten und bereits im Spiegel erklungenen (T. 194) 1. Thema -. B a r t ó k folgt hier einem Prinzip, das er auch in anderen Kompositionen u.a. im "Holzgeschnitzten Prinz", im 5. Streichquartett und im 2. Klavierkonzert 1. Satz angewendet hat, nämlich die Reprise als umgekehrte Exposition zu komponieren. Nach der Cadenza T. 309 und einer Engführung des 1. Themas (b und a simultan) folgt T. 373 die Coda.

b) Der Zusammenhang zwischen "Vorhang" T. 1 - 6 und 1. Thema T. 7 - 21 ist schon besprochen worden (siehe auch Tafel I) T. 22 setzt eine "Fortspinnung" des 1. Themas mit Zwischenspielcharakter ein, eine Überleitung, die das Geschehen bis zur Tutti-Exposition des 1. Themas vorantreibt (T. 43). Die Solovioline bringt im wesentlichen Abwandlungen von b (T. 15/16), die sie allmählich steigert, angespornt noch durch Bläserimitationen, die Begleitung verwendet des öfteren Derivate von Motiv α

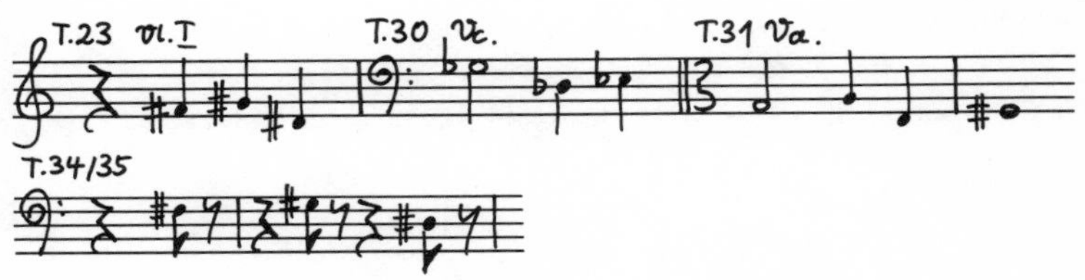

und charakteristische Quarten und Quinten gleichzeitig:

Die Tutti-Exposition des leicht variierten 1. Themas (T. 43 - 50) ist ein freier Kanon in der großen Sekunde mit wechselndem Abstand:

4/4, 2/4, 1/8, 2/4, 1/4.

Jedoch beginnt dieser Teil nicht in der Grundtonart H, sondern quasi im Trugschluß G (T. 40 Dominante zu H: Fis T. 42 durch Quartauftakt d-g des Basses zum Trugschluß sP : Tonika G umgebogen); die Melodie beginnt dennoch auf h, sodaß sich ein anderes, durch Terz und große Sept klangvolleres und gespannteres Gesamtbild ergibt:

Die Tonalität G wird T. 44 bereits durch den Baßeinsatz des Themas, quasi im Tritonus, nochmals in Frage gestellt, erst die lyrische Solovariante des Hauptthemas T. 51 setzt G (hier auf der kleinen Sept beginnend) durch, in Vorbereitung auf das in G stehende 2. Thema T. 56.

In den "Kleinigkeiten" zeigt sich der Meister: Welcher Grund bewog B a r t ó k das 1. Thema in der Solovioline T. 7 mit dem Auftakt g-a und nicht, wie bei der Tonalität H zu erwarten wäre, gis-ais zu beginnen? T. 43 wird es deutlich: das g ist in die Harmonie gewandert, so kann hier und in der Reprise gis-ais stehen. (T. 197 erscheinen beide Formen hintereinander). Erst im Auftakt zur Reprise führt gis-ais auch nach H. So legt B a r t ó k von vornherein diese Tonalitätsambivalenz an, im kleinsten Detail bis hin zur Großform (siehe auch Kapitel: Ambivalenz der Tonalität).

Dieses 2. Thema bekommt ab seinem 3. Takt (T. 58) einen pizzikato-Kontrapunkt (Tafel II), ab T. 60 wird es ständig von den Holzbläsern imitiert. Ab T. 69 führt die durch Glissandi verschleierte enggeführte Fanfare cis-fis (Quarte) fisis-his in der Violine von Fis (Dominante) über dis (es) und Es nach A, zur Tonalität des 3. Themas (dP zu H-Dur).

Die Verunklarung des Orgelpunktes A in Bässen und Bratschen ist noch ein "Nachzittern" des 2. Themenkomplexes, ebenso die tonleiterchromatischen Quint- und Quartfälle von A nach D und weiter nach A. So werden über die schon besprochenen Verwandtschaften der Themen untereinander diese des öfteren noch zusätzlich kontrapunktisch miteinander verwoben (in der Reprise noch deutlicher). Die Schlußgruppe bricht T. 92 los. Der schon im 3. Thema aufgenommene Solo-Tutti-Wechsel wird hier dramatisch verschärft. Die Schlußgruppe könnte man in 3 Perioden unterteilen: T. 92 - 95, T. 96 - 106, T. 107 - 114. Der 1. Teil ist ein bitonaler Ausbruch, alternierend zwischen Tutti und Solo, entsprechend auch die Baßtöne. Die Anfangstöne im Tutti ergeben jeweils wiederum einen Dreiklang.

Dur-moll-Sext-Akkordmixturen

4

4

Dur-Sext-Akkordmixturen

Die Quintolen der Solovioline sind Derivate des 2. Themas. Das Violinthema T. 96 wurde schon besprochen (S.9, Tafel III), ebenso die 3. Periode ab T. 105 (S.9 ff.).

Die Durchführung beginnt T. 115 mit dem ins Lyrische übertragenen "Vorhang"motiv. Hier wird die charakteristische Quarte besonders wichtig. Dieser lyrische Teil der Durchführung reicht bis T. 159 und gliedert sich in 4 Perioden, deren Tonalität F (12 Takte), C (12 Takte), B (7 Takte) und Ges (14 Takte) sind.

Auch hier eine permanente variative Entwicklung (siehe Tafel V).

Die Baßchromatik der 2. Periode (T. 127) ist ein Derivat des 2. Themas - entsprechendes in der 4. Periode ab T. 153 (Molldreiklangsmixturen in Flöte und Klarinetten chromatisch abwärts über den Orgelpunkt Fis).T. 160 wird die kontemplative Art,das Vorhangmotiv zu verarbeiten, abrupt verlassen; es setzt eine direkte Verarbeitung des Hauptthemas ein (nach H-Dur plötzlich C-Dur), zunächst nur in entfernteren Verwandten, rasend pendelnde Läufe, abgeleitet von T. 15 (u. 22 ff.), anfangs alternierend mit dem ebenfalls aus dem Thema gewonnenen Synkopenrhythmus der Bläser, der komplementär zur kleinen Trommel geführt ist. Ab T. 169 werden die Läufe mit dem vergrößerten Hauptthema (siehe auch Tafel I) im Horn (E-Dur-moll) gekoppelt, ab T. 179, ein 4stimmiger Kanon einer Hauptthemenvariante in den Streichern, dreimal permanent variiert. (2. Variante in "tonaler" Beantwortung analog T. 7 zu T. 11, 3. Variante nur 2stimmig, bei 2. und 3. Variante ist der Themenkopf jeweils 1 Stimme tiefer wegen Umfang der Instrumente). Dieser Kanon wird unterbrochen jeweils von Bläserrhythmusmixturen und der Soloviolinе. T. 194 wird der 1. Teil des Hauptthemas gespiegelt (Spiegelachse ist h, konsequent wird also aus H-Dur-moll e-moll-Dur). Zusätzlich spielen die Violinen die jetzt chromatisierten Läufe der Violine von T. 169 als Kontrapunkt. Über das Selbständigerwerden der Schlußfloskel ab T. 204 kurz vor der Reprise wurde schon berichtet (S.10), noch nicht über die Vorwegnahme des Kopfmotivs in der Subdominante (dem Spiegel zur Tonika!) T. 207 ff. in Posaunen, Kontrabaß und Pauke:

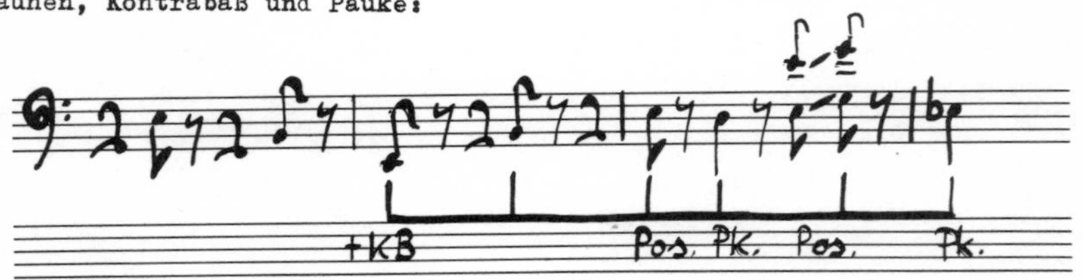

Die Reprise setzt wohl deutlich+), wenn auch um eine Oktave versetzt und mit lyrischer Begleitung T. 213 ein, doch werden aus den 5 Perioden mit insgesamt 15 Takten eine einzige mit 7 Takten. Ebenso ist der daran anschließende Überleitungsteil stark verkürzt und variiert. Die Tuttireprise des 1. Themas T. 228 ist wesentlich gesteigert; einmal ist das Thema auf seinen lapidaren Kern, den Quint-Quart-Sprung und die Synkope zurückgeführt, zum anderen sind die Kanoneinsätze von 2 auf 7 angewachsen, wobei die Holzbläser nur den 4. und 6. Einsatz (Trp. I und II) unterstützen. (Aus spieltechnischen Gründen fehlt beim 6. Einsatz das hohe dis in der 2. Trp.). Diese Imitationen verdichten sich zu einem Akkord mit Terzaufbau, dessen Klammertöne einen Tritonus beschreiben. T. 234 treten Streicher und Holzbläser in Unisono-Oktaven mit Bruchstücken von α gegen diesen Bläserakkord auf. Ab T. 241 wird der trillerartige Kopf des Risolutothemas vorbereitet, dann aber bei der eigentlichen Reprise von der Solovioline in seine Umkehrung umgebogen.

+) E r n ö L e n d v a i setzt in seiner Einführung in die Formen- und Harmoniewelt B a r t ó k s die Reprise schon T. 194 an (B e n c e S c a b o l c s i : Bela Bartók S. 134). Manches spricht dafür:

1) Die Zentraltönigkeit des H,
2) daß auch alle anderen Themen in der Reprise in der Umkehrung erscheinen.

Dagegen spricht:

1) unser Gehör, das eben e-moll und <u>nicht</u> die Tonika H-Dur hört,
2) die ausgesprochene Steigerung aus Schlußgruppenmotiven zum H-Dur-Einsatz T. 213 hin, mit der gemäß der Exposition folgenden Überleitung und der Tuttireprise,
3) die ähnlich oktavversetzten Reprisen im 2. Satz (T.118) und 3. Satz T. 320.

Auch die Goldene-Schnitt-Theorie L e n d v a i s kann keinen Beweis für seine Hypothese liefern: An <u>keiner</u> sinnvollen Stelle des Konzertes, was die Großform betrifft, ist mir der Nachweis des Goldenen Schnitts gelungen.

Auch hier noch scheint ein geplanter Gesamtablauf des Themas vorzuliegen:

2. und 3. Thema durchdringen sich in der Reprise alternativ, d.h. die Alternation, bekannt bereits vom 3. Thema, der Schlußgruppe, der Durchführung ab T. 160 greift jetzt auch primär auf die Form über.

Insgesamt sind beide Themen nur unwesentlich gekürzt, ein isometrischer Alternativteil der Streicher wird zugunsten der dichten Verbindung mit dem 2. Thema weggelassen. Beide Themen erscheinen teils in der Umkehrung, teils in leicht variierter Originalgestalt. Ihre Behandlung ist durchführungsartig (beide Themen blieben ja in der Durchführung ausgespart); dieser Durchführungscharakter wird allein schon in der ständig fluktuierenden, nicht zu fassenden Tonalität und den zahlreichen Kontrapunkten deutlich. Der chromatische Baß - als ganze Noten schon als Derivat des 2. Themas bei der Exposition des 3. Themas bekannt - wird motivisch ausgestaltet (Kopfmotiv des 2. Themas). Die enge Durchdringung beider Themen wird auch durch neue Zusammenhänge stiftende Kontrapunkte gewährleistet: Z. B.

oder z. B. T. 261: Die pizzikato-Achtel der Bratschen sind einerseits eine Fortsetzung des Kontrapunkts zum 2. Thema, andererseits eine Erinnerung an die ähnliche, jedoch doppelt so schnelle Begleitung der Bratschen zur Umkehrung des Hauptthemas T. 194. T. 275 schließt das zwölftönige 3. Thema als hörbare Variante des 1. Themas mit einem Kanon zwischen Solovioline und Klarinette und einer verbreiterten und erweiterten Imitation in den Hörnern die Reprise des 2. und 3. Themas ab:

Auch die Reprise der Schlußgruppe T. 280 ist eine Umkehrung ihrer Exposition. Sie ist ebenfalls dreiteilig, treibt das Geschehen stark voran. Statt des ungarisch gefärbten "Themas" (T. 107 ff.) bricht eine dissonante Tuttiexplosion los, die in ihrer Struktur extrem dicht gestaltet ist. Das Quintolenmotiv T. 291,

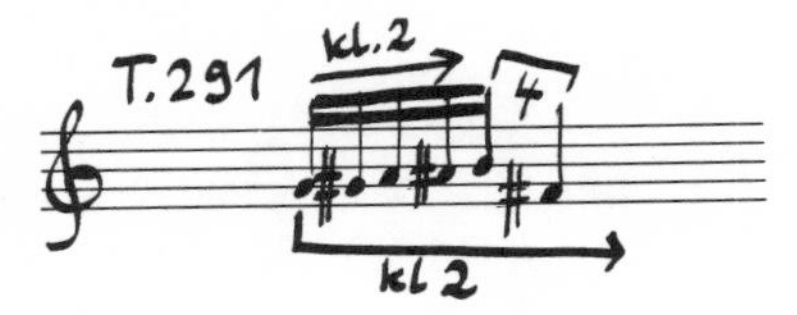

eine Ableitung von T. 281 und entsprechender Stellen der Exposition (2. Thema) wird von Holzbläsern und Streichern in der Engführung als strenger Kanon in der Quarte bis T. 296 chromatisch abwärts geführt, sozusagen in der immens vergrößerten Gegenbewegung zu den chromatisch aufwärts gerichteten Quintolen. Dabei ergeben sich auf jedem Viertel Tritonuszusammenklänge zwischen Holzbläsern und Streichern. Als Gegengewicht schreiten Fagotte, Trompeten, Hörner, 3. Posaune und Kontrabaß chromatisch aufwärts zunächst in Durquartsextakkordmixturen. 1. Posaune, später auch 2., verbinden die Imitationen von Holzbläsern und Streichern durch selbständig wirkende Quartglissandi (e Anfangston der Holzbläser, a Anfangston der Streicher usf.). Gegenstimme dazu wiederum sind die

Paukenglissandi über eine verminderte Quinte abwärts, sie wirken analog zu den Posaunenglissandi: d = Quinte des Quartsextakkords von Hörnern und Baß, gis = Grundton des nächsten Quartsextakkords. T. 297, 2. Hälfte, haben sich beide Gruppen , auf- und abwärtssteigend, bis auf eine kleine Sekunde genähert.

T. 298 übernimmt die Solovioline die glissandoartigen Quintolen von den Streichern und führt sie chromatisch weiter in die Tiefe unter Auslassung des Tones d als Schwerpunktston, um nicht den Höhepunkt T. 303 vorwegzunehmen. Von da ab umspielt die Violine den Ton d in pendelnder Bewegung, zunächst in Vierteltönen, einer Verengung des Harfenakkords cis-d-es T. 302, während Varianten des Kopfes des 1. Themas nacheinander in Baßklarinette, Fagott und Horn (in Vierteltriolen) erklingen. Die Spannung läßt nach bis zum Cadenza-Eintritt T. 309.

Die Kadenz faßt virtuos noch einmal wichtigste Struktureigenschaften des ganzen Satzes zusammen, ohne jedoch direkt ein Thema zu zitieren. Wir hatten bei der Besprechung des 3 Hauptthemen folgende grundlegenden charakteristischen Dinge feststellen können:

1. Thema im wesentlichen diatonisch
2. Thema chromatisch
3. Thema zwölftönig

Die Arpeggienbewegung (außer dem C-Dur in T. 309 immer Mollakkorde), die bereits ab T. 303 vorbereitet wird, hat von T. 309 - 312 folgende pendelnde Grundlinie

ist hier also diatonisch, von T. 314 - 319 dagegen chromatisiert.

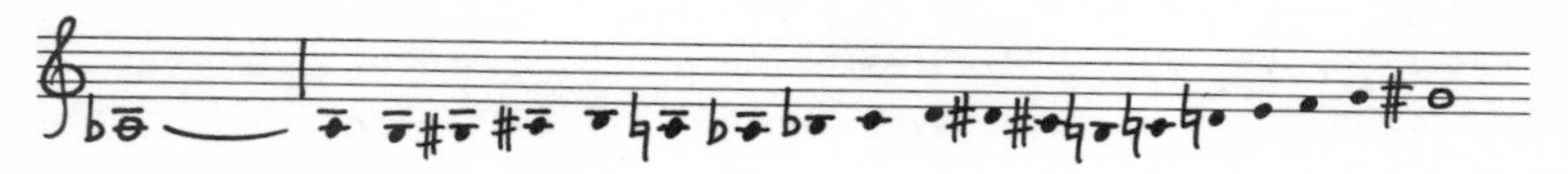

T. 325, nach einer zweimaligen, jeweils auch in der Figuration variierten Steigerung, wird die Art der Figuration gewissermaßen aufgebrochen und zwar fast 12tönig (genau: 11tönig). So ergeben sich zu Beginn der

Cadenza in der "richtigen" Reihenfolge nochmals im Figurenwerk gewisse grundlegende Strukturprinzipien aller 3 Hauptthemen, wobei das 1.Thema sogar in der Figuration in nuce vorhanden ist:

Obwohl keine schnelleren Notenwerte auftreten, ist die Cadenza von T. 309 bis zu ihrer Mitte T. 329 eine einzige Steigerung:

T. 309 - 313	Grundlinie diatonisch (Pendelbewegung auch im Großen und damit a im 1. Thema entsprechend)
T. 314 - 321	Grundlinie chromatisiert, außerdem erscheint die ganze Periode verlängert, Pendelbewegung entsprechend a' im 1. Thema, jedoch im Tritonus statt in der Quinte einsetzend
T. 322/323	Figurationspendel (Arpeggio) verkleinert, Abschnitt verkürzt nur aufwärts gerichtet:

T. 324	Doppelgriffvariante des vorigen, nochmals verkürzt, Aufwärtsrichtung steiler (Grundlinie: Ganztonleiter), $\frac{6}{4}$
T. 325	Keine Arpeggien mehr, Aufwärtsrichtung noch steiler, 11tönige Sechzehntel, Abschnittlänge $\frac{4}{4}$
T. 328	dreistimmige Durmixturen, nehmen chromatisierte Pendelbewegung von T. 314 ff in mehrfacher Verkleinerung wieder auf (statt ♩ jetzt ♬) Abschnittlänge $\frac{2}{4}$

T. 330 setzt eine zweite große Steigerung ein, deren ungeheuer aufgestaute Spannung sich erst T. 344 in die pendelnde Lauffigur, die uns aus der Durchführung schon bekannt ist (T. 160 ff.), löst. Dieser Teil der Kadenz (ab T. 330) arbeitet zunächst mit Quarte und übermäßiger Quarte, fast in Art einer zweistimmigen Invention komplementär, beißt sich dann in

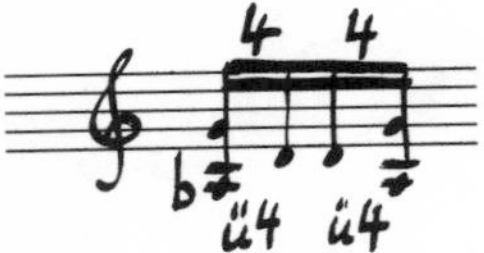

fest. T. 335 dasselbe in der Umkehrung. Ab T. 340 eine real zweistimmige Steigerung zur Lösung T. 344 hin, auch hier analog zur ersten Steigerung eine immer dichtere Folge der einzelnen, fast streng komplementären Stimmen: $\frac{2}{4}$, $\frac{3}{8}$, $\frac{1}{4}$.

Spannte sich im klassischen Konzert nach einem Orchestertutti und einer Fermate auf dem Tonikaquartsextakkord die Solokadenz zur Dominante-Tonika hin, bedeutete die klassische Kadenz freies und besonders virtuoses Fantasieren über die Themen des Satzes, so trifft dies auf die Solokadenz des B a r t ó k - Konzerts, fast möchte ich sagen, verstärkt zu:

T. 294 Tutti-ff

T. 305 Einstimmung auf die Kadenz hin über

1. d
   + H (Fag. I)
2. Fermate auf D^7 (zu Es-Dur) (T. 308/309)
   Violine d-moll

Die Kadenz ist sehr virtuos, Themen sind im Figurenwerk keimhaft verarbeitet, kein einziges Mal ein bloßes Zitieren. Mehrere Male greift die Violine den D^7 (Es) von T. 309/310 auf. Er wird

T. 325 nach Es

T. 326 nach a (T. 326 - 328) ergeben Spitzentöne auf der Schlagzeit 1 : a-moll

T. 329 wird dieser D^7 (Es) auf dem Höhepunkt der ersten großen Steigerung zum Nonakkord erweitert, in Mixturen absteigend <u>noch</u> nicht nach a aufgelöst, sondern sozusagen in einen Trugschluß geführt:

So kann sich noch eine zweite große Steigerung anschließen. T. 340 greift die Violine wieder den ambivalenten Akkord von T. 309/310 auf, um ihn nach a-moll T. 344 aufzulösen, das Orchester hingegen löst ihn T. 346 nach fis-moll auf.

Ein Vergleich mit dem Beginn und Ende einer normalen Kadenz im klassischen Konzert zum Ablauf in Bartóks Konzert zeigt die durch bitonale und harmonisch ambivalente Anlage bestimmte Spannung deutlich:

Klassisches Konzert: $\overset{\frown}{T}{}^{6}_{4}$ Kadenz D-(T)

Bartók-Konzert: Solo-V. tp(d-moll) Kadenz dp(a-moll)
Orchester D^7(zu Es) d (fis-moll)

In der Solovioline entsteht also die (übliche) Spannung T - D (hier als tp - dp), im Orchester hingegen die Spannung Đ - D (hier alterierter Terzquartakkord - d).+)

Wie wir sahen, war die Reprise des Hauptthemas T. 213 stark verkürzt, da das Thema schon ausführlich in der Durchführung behandelt wurde. Es kommt nun noch als weiterer Grund zu dieser Verkürzung hinzu, daß das 1. Thema jetzt nach der Kadenz T. 335 noch einmal, fast in Originalgestalt auftritt, jedoch a und b simultan in Engführung (Kopf dreimal in den Bläsern, b in der Solovioline T. 354), außerdem erklingt in der 1. Violine noch eine weitere Zusammenfassung:

Periode c ist ebenfalls gesteigert.

+) Die Wesensverwandtschaft dieser Cadenza mit der Violinkadenz aus den unmittelbar nach dem Violinkonzert entstandenen "Kontrasten" ist nicht zu übersehen.

Ab T. 364 drängt eine Variante des 1. Überleitungsteils (T. 22) zur Coda hin. Tonalität ist zunächst G, in der Violine mit h beginnende trugschlußartig-analoge Umdeutung wie Soloexposition zu Tuttiexposition des 1. Themas. Dieses G-Dur wird jedoch ständig durch Nebennoten in den Hörnern (Analogon der Vierteltonumspielung des d' T. 303) und durch entsprechende pendelnde Glissandi in den tiefen Streichern verunklart. (𝄾♪♫(♩) : Päon!).

Dieser Teil stellt eine differenzierte Steigerung zur Coda dar: 1 Takt pendelnd (364), 3 + 1 Takte pendelnder Aufschwung, Wiederholung des letzten Taktes um 1/8 verschoben 1 Oktave tiefer, weitere Verkürzung auf ein 3/8 Motiv, das 2. Mal 2 Oktaven tiefer, dann 2 Takte zielstrebiger Aufstieg zum Höhepunkt (2/8 Motive, Quartaufstieg). Die Steigerung wird hier also durch eine ständige Perioden-, später Motivverkürzung erzielt, andererseits durch die Orchestrierung: Das Orchester pausiert die letzten 2 Takte, läßt den Solisten sozusagen über dem "Abgrund" hängen.

T. 373 beginnt die Coda, die im wesentlichen eine Verarbeitung der kleinen Terz (Schluß des Kopfmotivs) darstellt:

Diese kleine Terz bekam schon gelegentlich motivische Bedeutung, bezeichnenderweise in der Schlußgruppe T. 92 als bitonaler Akkord und T. 96 ff. aufgelöst:

(Ab T. 100 sogar als d-h und erneut bitonal:
h-moll + Gis-Dur
kleine Terz.

Ebenso ist die aufregende motivische 3/8-Gruppierung besonders in T. 376 schon bekannt, u.a. aus T. 226 (Reprise des Hauptthemenkomplexes) und T. 370. Auch das Baßgerüst entsteht direkt aus dem Hauptthema. Die Beziehungen zu "Vorhang" und Hauptthema sind so multivalent, daß ich zur Vermeidung einer Überinterpretation nur folgende Beispiele anführen möchte:

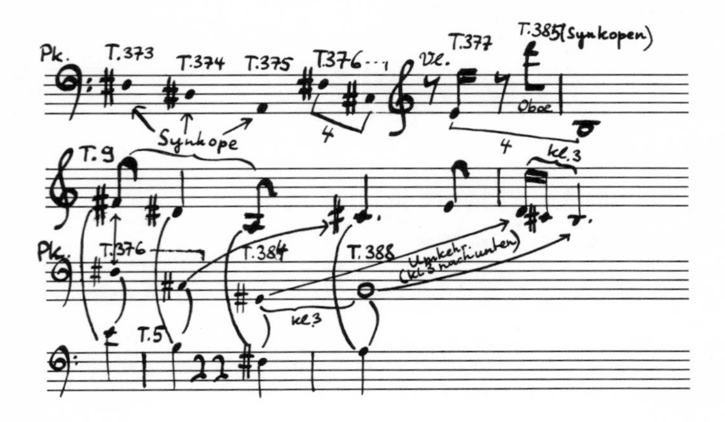

Der Kadenzablauf der Coda läßt sich vereinfacht so darstellen:

T. 373 ff. T und Tp

T. 376 Solovioline: Dominantformen zu C: D^9 (C) + Tp (H) = D

(gis-C analog g-H)

Orchester: Dominantformen zu H (+ Tonikagrundton)

letztes Viertel: h-ais-f-des = tiefalterierte D (C)

T. 377 S^5_6 zu H-Dur oder T^7 zu C-Dur

T. 383 ff. verschiedene Dominantformen zu H (mixolydische T.383, T.385 hochalterierte D_3 + mixolydische Form) (siehe auch Ambivalenz der Tonalität S. 33)

T. 388 Tonika

Vergleiche auch den Akkord in T. 377 mit dem in T. 385+):

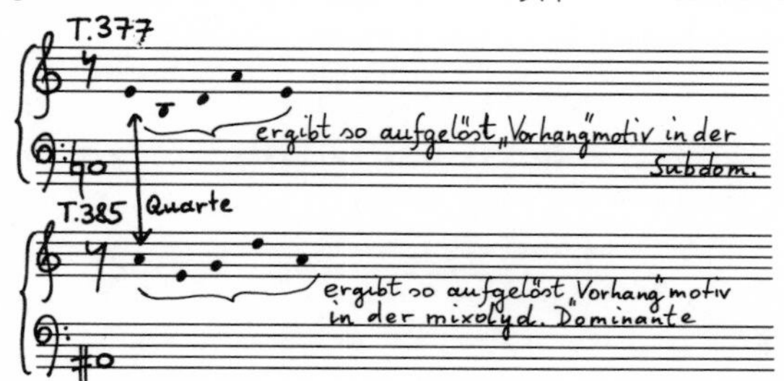

+) Begreift man diese Akkorde als Simultan-Derivate des "Vorhang"motivs, so ergibt sich in ihrer "Grundstellung" quasi noch einmal Motiv α :

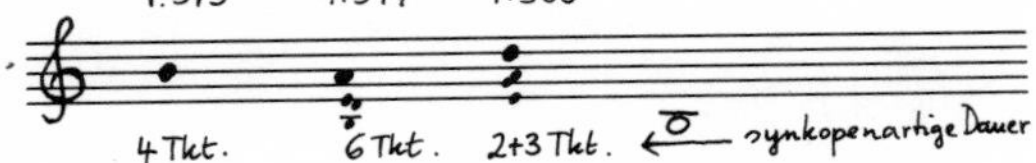

Die Baßführung im Großen: C (T. 377) Ais (T. 385) erinnert in seiner Gestaltung an die Umschreibung des Grundtons G im Kopfmotiv des 2. Themas und des A im 3. Thema (Harfe), hier sogar noch weiterreichend:

Harfe T. 73 ff.: A-B-Es (Dis) -Gis-A

Baß: (H)-C-F-B (Ais)-H
5

T.373 ff. (T.383)

Sogar im Hauptthema kann man dieses chromatische Umkreisen des Zentraltons H beobachten:

T.7 H T.15 G → T. 16 C T. 17 F → T. 18 B (Ais) T. 22 H

Man könnte fast von einer gesteigerten n e a p o l i t a n i s c h e n Kadenz sprechen:

(für die Coda:) $T_5 - S^5_N - D^{9\natural\,7\,5\sharp\,3\natural}_{3\sharp} - T$

III. Die Großform des 3. Satzes als Variation des 1. Satzes

Der 3. Satz ist ein "Triplum" des 1. Satzes. Das Verhältnis beider Sätze zueinander erinnert an das des "Urpaares" Pavane und Gagliarde, hier ins Überdimensionale geweitet, besonders da das Finale auch einen ausgesprochen tänzerischen Charakter in den Themenvarianten hat.

Der variierte "Vorhang" des 1. Satzes bekommt tänzerischen Schwung durch die Rollfigur β . Das Hauptthema, solistisch vorgetragen, ist eine Variation des Teiles a des Hauptthemas vom 1. Satz. Nach einer verlängerten zweiten "Vorhang"variation stellt es sich nochmals, jetzt zusätzlich imitiert als Variation des Teiles a' vor. Zwar sind die Ableitungen gut erkennbar, dennoch erhält das Hauptthema im 3. Satz einen grundsätzlich anderen Charakter, einen in mehrfacher Hinsicht tänzerischen: Melodisch und rhythmisch (hier keine Symmetrie, vergleiche

S. 37), und formal im Großen und im Kleinen (Reihungsform!):

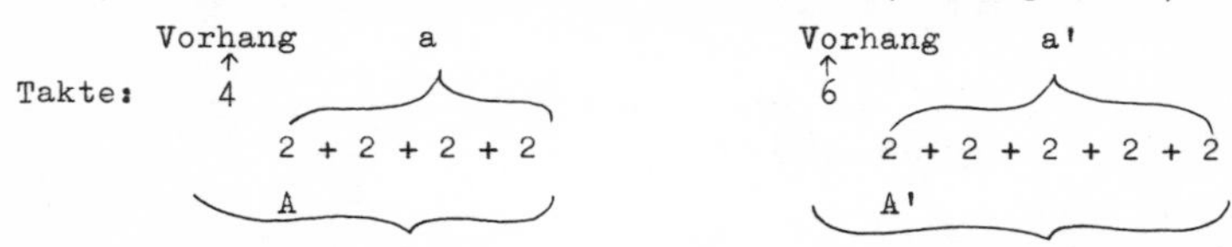

Durch den Wegfall der Teile b, b' und c fehlt hier auch der dynamisch pendelnde Aufschwung, die Geschlossenheit, die so charakteristisch für das 1. Thema/1. Satz ist.
Das bei diesem Thema im 1. Satz so auffällige Themenkopfgerüst (siehe S. 5) fehlt durch die starke formale Umwandlung des Themas, dafür gewinnt Bartók ein neues derartiges Gerüst aus den jeweils tonalen Ebenen bzw. Zentraltönen des "Vorhangs" mit Hauptthema und des sich T. 29 unmittelbar anschließenden, schon besprochenen "Zwitter"themas. Letzteres hat trotz seiner Überleitungsfunktion einen eigenständigeren Charakter als der entsprechende Abschnitt im 1. Satz.

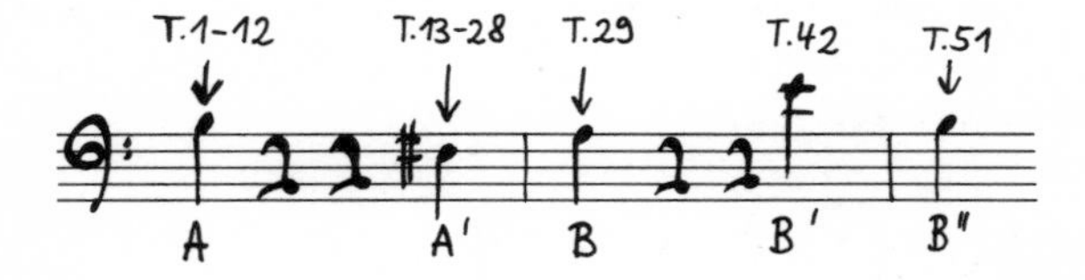

Daß diese Gerüsttöne nicht Zufall sind, wird allein schon durch die Tatsache bewiesen, daß Bartók die tonalen Ebenen betont (T. 29 durch mit Vorschlägen und Reizdissonanzen versehenen Tuttischlägen). (Bei entsprechenden Stellen: T. 111 und 167 durch Blechbläserakzente
T. 556 durch Bartókpizzikati und verlängerndem sulponticello-tremolo)
Die Tuttiexposition des 1. Themas, beginnend in der T_p , - 1. Satz tP!-, als gesteigerte Variation der entsprechenden im 1. Satz, einmal durch mehrfache Kanoneinsätze in Quart-Quintverwandtschaft, zum anderen dadurch, daß das Hauptthema in drei neuen Varianten tänzerischer Art erscheint:

Nach einer Überleitung über dem Orgelpunkt D (hier als Dominant-Funktion zu G) beginnt die Solovioline T. 87 mit der Variante des 2. Themas, ohne nochmals das 1. Thema zitiert zu haben. Die formale Struktur ist fast unverändert die der Version des Themas im 1. Satz, die (tänzerische) Reihenform brauchte nicht umgebildet zu werden. Durch Triolierung ist das Thema geschmeidiger geworden, taumelnd. Es geht T. 111 nahtlos in das "Zwitter"thema, der Überleitung zum 3. Thema T. 126 über. Das Themenkopfgerüst des 1. Satzes bleibt auch fast unverändert; die einzige Änderung ist thematisch gebunden und zeigt die konsequente Arbeit Bartóks:

Die formale Anlage des zwölftönigen 3. Themas ist - von minimalen Dehnungen und der Einleitung abgesehen - mit der Anlage im 1. Satz völlig identisch. Der Charakter des Themas ist wohl auch tänzerischer geworden, dennoch ist die Verwandtschaft zur Ausformung im 1. Satz sehr groß. Die Art der rhythmischen Gestaltung erinnert stark an die Tuttiexposition des 1. Themas im gleichen Satz (T. 64/III ff.). Die Tuttistreicherteile sind wieder <u>isometrisch</u>. Die tiefen Streicher bilden einen genauen Spiegel zu den hohen. Die Melodik ist - im Gegensatz zum 1. Satz - stufenweise, ergibt auf den Schwerpunkten chromatisch dichte Quartbildungen, ähnlich denen im c-Teil des 1. Themas/1. Satz, außerdem ist sie als (freie) dreifache Vergrößerung ähnlich pendelnder Bewegungen des 2. Themas 3.Satz anzusprechen.

Auch hier pendelt die Tonalität zwischen A-D-A, jedoch wird - wie überhaupt im 3. Satz - diese oft durch dissonante Halbtonreibungen, besonders im Baß, verunklart (Es zur Tonalität D T. 145, entsprechendes im Baß T. 29 ff., T. 112 ff.).
Statt der Schlußgruppe und der Verarbeitung des Vorhangmotivs im ersten Satz, tritt T. 165 das "Zwitter"thema wieder in Erscheinung. Durch das Begleitmotiv in den Holzbläsern, später auch in den Streichern, entpuppt es sich als Variation des Teiles ab T. 160/1. Satz, wobei es im weiteren Verlauf in äußerst dramatischer Weise durchgeführt wird (bis T. 259). In den Läufen der Solovioline entstehen ständig Quarten (in ihrer Häufung eventuell an die Verarbeitung des Vorhangmotivs im 1. Satz erinnernd):

Auf den ganzen Teil gesehen, ergibt sich folgendes große Gerüst in der Solovioline:

Die Tonalität jedoch wird ständig in Frage gestellt durch bitonal-ähnliche Bildungen (Vorherrschaft des Tritonus).

Des weiteren tragen zur Dramatisierung bei:

1. Hemiolenbildung: Orchester ab T. 171/172
   Solo ab T. 199
2. Ab T. 199 sich verengende Solo-Tutti-Wechsel
   mit schließlichem "Sieg" des Orchesters
   Orgelpunkt auf Fis-Cis (ab T. 241)
3. Ab T. 219 più mosso und Duolen in der Violine, verbunden mit Doppelgriffen, in ihrer Melodik motivisch geführt. (T. 222, 223, 224)

Nach dieser großen Steigerung setzt analog zum 1. Satz T. 260/III die Umkehrung des Hauptthemas ein. Der Formablauf entspricht dem des 1. Satzes. Der Charakter ist, besonders auch durch jeweiliges Auspendeln des Kopfes, tänzerischer und gelöster, ebenso ist die Harmonik sehr licht (Achse ist H): Streicher G-Dur (statt e-moll!);durch die - der Viola im 1. Satz analogen - Klarinettenfigur lydisch eingefärbt. Der 2. Satz beginnt in G -lydisch, Solovioline dazu E-Dur, später phrygisch eingefärbt, ab T. 274 wird die Tonalität multivalenter, nur der Halteton H in der Violine I und Celesta bleibt erhalten. T. 297 entspricht der Steigerung zur Reprise im 1. Satz, hier als dreistimmiger Kanon in der kleinen Sekunde variiert. T. 320 : Einsatz der Reprise des Hauptthemas im pp, jedoch nur die 1. Periode (a) 1/2 Ton höher, also in C, stark gedehnt, in gewisser Weise analog zur Umkehrung T. 260, kleine Imitationen der Bläser, Pendelmotiv in den Streichern. Durch die rhythmische Dehnung der Takte 11 und 12 betont Bartók noch zusätzlich die Verwandtschaft dieses Themas zum Hauptthema des 1.Satzes:

es ''' steht statt d ''' zur Erreichung einer zusätzlichen Quarte.

Diese Version nimmt Bartók in der darauffolgenden kanonischen Orchesterreprise des Themas auf, baut die Quartversion systematisch aus, bis T. 378 eine ähnlich elementare Figur übrigbleibt, wie sie den Beginn der Tuttireprise im 1. Satz im Blech charakterisiert:

Als Steigerung angelegt, findet diese Stelle ihre Erfüllung T. 392, der ff-Vorwegnahme des "Taumel"motivs vom umgekehrten 2. Thema. In den anschließenden Triolen erreicht als Variation von T. 56/I bzw. T.88/89/III die Verlängerung des nach dem "Taumel"motiv folgenden chromatischen Laufes ihre größte Ausdehnung, zusätzlich kanonisch gesteigert. Damit kann sie T. 400 beim Einsatz der Solovioline entfallen. Im Gegensatz zum 1. Satz erscheint die Form- wohl auch als Zug zum Tänzerischen zu deuten - vereinfacht, d.h. die Reprisen des 2. und 3. Themas erklingen wieder entflochten, nacheinander. Die Tonalität wird dagegen ständig (auch im 3. Thema T. 423 ff.) durch dissonante Nebennoten und Bitonalität verschleiert. Die Gerüstmelodie des 2. Themas ergibt wieder Quart-Quint-Schritte:

Trotz der Zwölftönigkeit erscheint während der Reprise des 3. Themas H (T. 423 ff.) als dauernder Bezugspunkt und bewirkt dadurch eine Entspannung, die sich auch in allen anderen Parametern manifestiert:Tempo, Dynamik, Rhythmik und Orchestration.

Der nun folgende Teil, ab T. 451, steht anstelle der Kadenz im 1. Satz. (Eine Variation der Schlußgruppe mit entsprechender Überleitung fehlt, wie schon in der Exposition Schlußgruppe und folgende "Vorhang"durchführung fehlte). Die ganze Stelle ist eine weitere Variation des Haupt-

Tafel VI
T. 467/III
T. 11/III
T. 7/I
T. 516/III
Cad.
T. 521
T. 486/III
Umk.
Hplth.
T. 521/III
Flöte
(Quarte!)
T. 3/I
Umk.
4
4
T. 7/III
T. 486/III
T. 7/I
T. 7/III
fast ein Krebs!
T. 7/III
T. 451/III
etc.
T. 452 Harfe
T. 507/III
T. 3/I
T. 9./III

themas des 3. Satzes und zwar noch mehr verlängert als in der Reprise T. 320, also statt Kopfmotiv a + Imitationen usf.
jeweils Entwicklung + Kopfmotiv
Imitationen usf.

Ist die Reprise T. 320 ff. auspendelnde Statik, so ist diese Variation ganz vorwärtstreibende Dynamik, dies zeigt sich auch daran, daß die Varianten der eigentlichen Thementeile a, a' etc. immer verschleierter und gleichzeitig vieldeutiger werden. Über einem dreimal permutierten polymetrischen Ostinato (aus Vorhang und Hauptthema) findet jeweils eine Entwicklung zum Kopfmotiv a hin statt, endend in einer virtuosen Überleitung (siehe Tafel VI).

Daß dieser Teil die Kadenz vertritt wird schon deutlich an den mehrfachen sich in gewisser Weise verdichtenden Anläufen bis zum Höhepunkt und Ende des Teils T. 509, des weiteren an der für eine Kadenz typischen Doppelgriffigurik der Violine, der pendelnden diatonischen und chromatischen Verarbeitung des Tonleitermotivs ebenso (T. 468/III tiefe Streicher von T. 162/I abgeleitet), wie der Reduzierung des Themas auf elementare Spielfiguren (siehe Ostinati Tafel VI).

Außerdem beginnt dieser Teil in einem ähnlich bitonalen Verhältnis wie die Kadenz im 1. Satz:

Kadenz 1.Satz: Solo T.309 d (T.324 B^{7b}) T.325 Es T.326 a
Tutti B^{7b} ———————————

T.451/III Kopfmotiv Solovl. T.467 c T.486 c
Trp.+Horn C ———————————
Streicher T.451 As^{7} T.475 E T.492 A (b)

Dabei bleibt jedesmal eine Tonalität latent konstant, in der Kadenz des 1. Satzes B, im 3. Satz C [+)]. Die tonalen Verhältnisse werden analog der motivischen allmählich mehrdeutiger. Das Ende der "Kadenz" in T. 521 ist gleichzeitig der Beginn einer polytonalen Engführung des

---

[+)] Die Methode in mehrdeutigen tonalen Beziehungen durch einfachste harmonische Deutlichkeit sozusagen einen "Halt" zu gewinnen, hat Bartók , allerdings in etwas anderer Weise, schon im zweiten Klavierkonzert 2. Satz, Mittelteil: Horn T. 124 ff. angewendet.

Hauptthemenkopfes, jetzt wieder in Originalgestalt. Dieser folgt T. 528 eine komplementäre Kopplung zwischen der lapidaren Quartenform des Themas und seines im Quintraum schreitenden Kontrapunkts (siehe T. 10/I Fagott etc., daraus u.a. T. 162/I ff.). Dieser ganze Teil - wobei die 2. Hälfte schwingend über dem Orgelpunkt Fis steht - ist die tänzerische Ausformung der Engführung verschiedener Perioden des 1. Themas T. 354/I ff.. Nach einer Modulation über Dominantseptakkordketten (siehe auch 2. Satz T. 10) beginnt mit dem - auch für die Überleitung im 1. Satz stehenden - Zwitterthema die Coda T. 556. Über dem Orgelpunkt As - d (tiefe Streicher - Pauke) ergibt sich folgendes Gerüst:

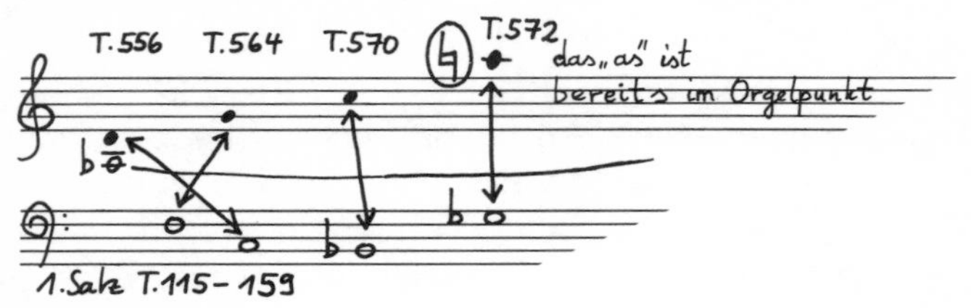

Vertauscht man die Reihenfolge von g und d, wird die Verwandtschaft mit dem Gerüst zu Beginn der Durchführung des 1. Satzes deutlich. Im Gegensatz zu T. 167/III ff. werden die Zieltöne in den Läufen zunächst ausgespart und durch Leittöne ersetzt (ein Analogon zu der Aussparung des d T. 298/I ff. (siehe auch S. 19).

T. 582 wird der Orgelpunkt nach g aufgelöst. Über die Gegenbewegung Baß (Quintfall ab T. 586) zu Violine (Tonleiter in Quintmixturen) wird T. 590 die Tonika H erreicht. Diese wird T. 594 über eine leicht verschleierte Dominantseptakkordreihung nochmals verlassen, um sich ab T. 608 zunächst in den Bläsern, ab T. 616 im gesamten Orchester fest zu bestätigen.

Die Harmonik ab T. 599 (siehe auch S. 34 ff.) wirft noch ein besonderes Licht auf Bartóks kunstvolle Variationstechnik: Der Akkord in den entsprechenden Schlußtakten im 1. Satz (T. 383 + 385 ff.) erscheint hier wieder, jedoch um eine <u>Quarte</u> versetzt und klanglich mit Umspielungen verschärft (alteriert).

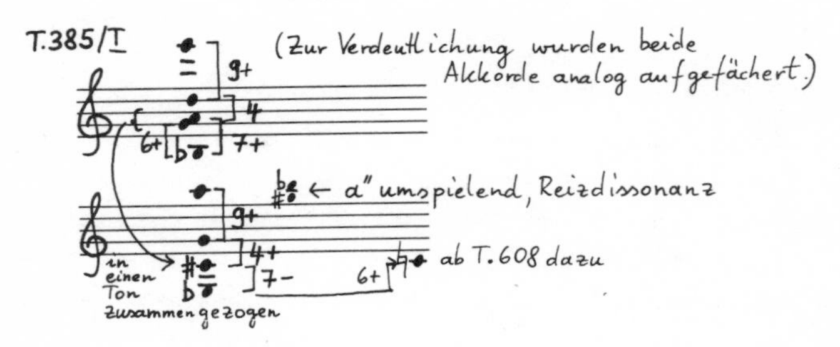

Die Läufe ab T. 608 bilden nochmals den dominantartigen Akkord von T. 599, deutlich durch die Schwerpunktnoten:

So erklingen hier Tonika und Dominante zusammen. Nach eindeutigem "Sieg" der Tonika schließt das Konzert mit einer lapidaren Verbindung von Hauptthema, Vorhang und 2. Themenkopf (Pauke!) ab.

IV. Die tonal-funktionale Ambivalenz des Violinkonzerts

Da die Tonalität in Bela Bartóks Violinkonzert eine ausgesprochen formbildende Kraft darstellt, sie in Gestalt der Harmonik einen großen Variationsreichtum ermöglicht, sei es mir erlaubt, an dieser Stelle noch einmal gesondert auf sie einzugehen. Im Laufe der Analyse des 1. und 3. Satzes konnten wir wiederholt Tonalitätsmehrdeutigkeiten feststellen. Das begann bereits in der Verschmelzung von Dur, moll, mixolydisch und Pentatonik im Hauptthema T. 7. Bitonale und polytonale Bildungen, wie z.B. T. 92/I, sind ebenfalls mehrdeutig. Bei der Besprechung der Kadenz (S. 21) fiel uns eine derartige Mehrdeutigkeit besonders auf.
Eine Tonalitätsbeziehung nun scheint mir für dieses Konzert sehr wichtig

zu sein: Die der Tonalität H zur Tonalität G. Dies wird allein schon durch die Haupttonalitäten der Sätze H-G-H evident.

Wenn in dem klassischen Harmonieschema H die Tonika darstellt, ist die dazugehörige Dominante Fis. G wäre dann die Mollsubdominantparallele sP, eine Trugschlußform. Bei Bartók bekommt die Tonalität G Funktionsmehrdeutigkeit, sie kann Trugschluß und Dominante sein, wobei die letztere Funktion die häufigere ist. Eindeutigen Trugschlußcharakter hat G z.B. T. 43/I (Tuttiexposition 1. Thema, siehe auch S. 13), T 330 (in der Kadenz, siehe S. 21), T. 364/I. Dagegen wandelt sich seine Bedeutung T. 372 g-f=g-eis zum übermäßigen (Quint)Sextakkord, also zur Doppeldominantfunktion.

Eindeutig dominantische Funktion hat G m.E. u.a. T. 211/212/I

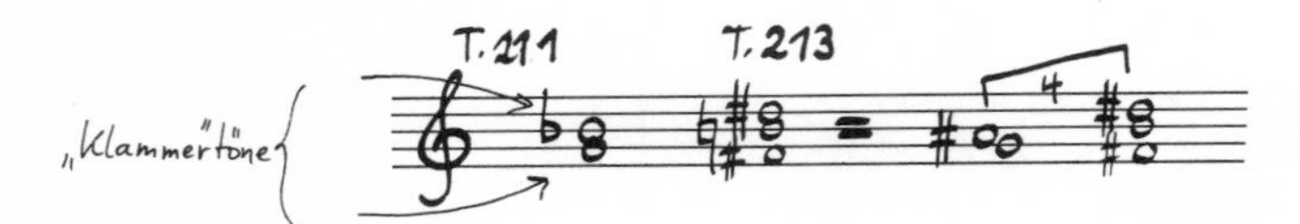

und T. 387

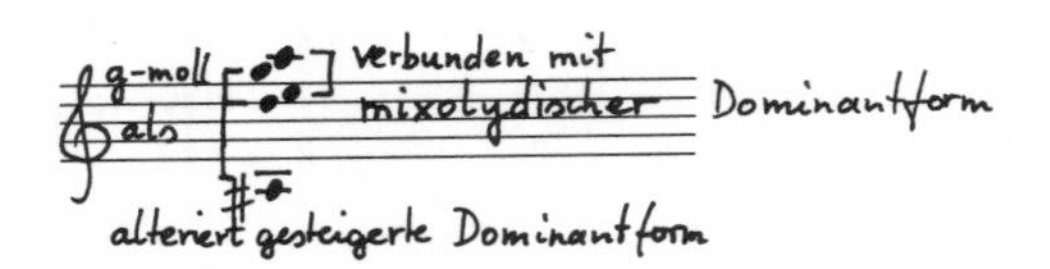

T. 582/III ff. ist die Harmoniefolge:

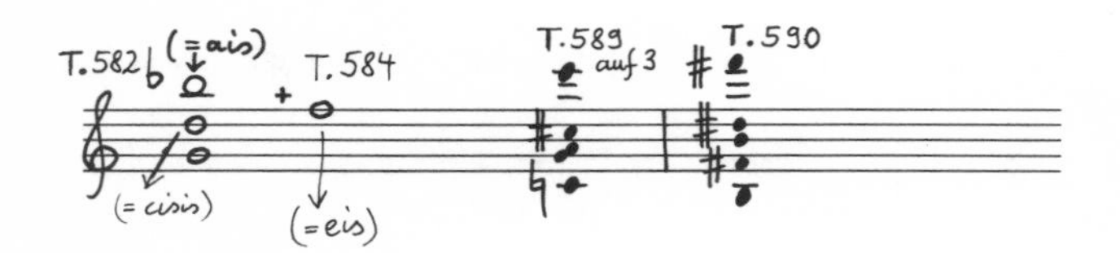

Da der Akkord T. 589 auch eine Dominante+) (Dominant-Durmoll-Parallele) dP vertritt, könnte man T. 582 ff. g-moll auch als sp interpretieren.

Die Ambivalenz von G erklärt auch, warum die Reprise im 3. Satz T.320 in C beginnt: C ist die "echte" Tonika von G, d.h.: Kann die Dominante Fis durch G ersetzt werden, so kann folgerichtig auch die Tonika H durch die Tonika C ausgetauscht werden. (T. 319 müßte statt gis eigentlich as im Baß stehen).
So überzeugend die Achsentheorie E r n ö L e n d v a i s++) als Theorie ist, am Violinkonzert als Ganzes scheint sie zu versagen (s. auch S. 16). Nach L e n d v a i s gehörten zur Tonika H die Dominantenbereiche Fis-A-Es-C. G dagegen gehörte zum Subdominantenbereich, könnte nie Dominante sein; entsprechend den harmonischen Analysen dieser Arbeit muß G jedoch Dominantcharakter zugeschrieben werden. Auch besonders Takt 388/I wäre mit der Achsentheorie unerklärbar+++). Ebenso das für das Achsensystem angeführte 3. Thema läßt sich nur bedingt als Beispiel halten:

1. Die Betonung der Nebennoten zu A durch die Harfe widerspricht der Achsentheorie L e n d v a i s (wo wäre dann das gis einzuordnen?) und zeigt, daß Bartók hier leittönig gedacht hat++++).

+) Derartig andere Dominantvertretungen gibt es durchaus häufiger, obige Form besonders bei mixolydischen Stellen, s. auch T. 4/I. So steht auch das 3. Thema in der Dominantparallele A. Jetzt bekommt der Auftakt g-a zum Hauptthema T. 7 noch eine zusätzliche, zu der Seite 13 besprochenen Bedeutung: g = Subdominante und Dominante, wesentliche Tonalität neben H, a = Dominantderivat, Tonalität des 3. Themas.

++) in Bence Szabolsci: Bela Bartók S 91

+++) siehe auch die motivische Erklärung S. 24

++++) Nach Lendvais steht dieses Thema in der Dominante mit all ihren Achsenbestandteilen; als Gegenpole stehen a und dis (Anfang, Halbierungspunkt und Schluß bzw. die zerlegten Fis-Dur und G-Dur-moll-Gegenpole) s. Notenbeispiel S. 38.
Warum aber betont dann Bartók das gis durch die Harfe und läßt das a in den tiefen Streichern ständig von b und gis umspielen? Am Schluß des 1. Satzes (vergl. auch S. 24) wurde eine neapolitanische Kadenz deutlich; analog scheint mir im obigen Beispiel auch eher ein leittöniges Verständnis vorzuliegen.

Tafel VII Formale Symmetrien bei einigen Werken Bartóks

Werk	I	II	III	IV	V
Violinkonzert:	I 4/4 Sonatenhauptsatz	II Thema u. Var.	III 3/4 Sonatenhauptsatz "Zwitterthema" hat Überleitungsfunktion		
Klavierkonzert Nr.2:	I 3/4 Sonatenhpts.	II A B A Scherzocharakter	III 2/4 Concertoform (Variationen der Hpthemen vom 1.Satz werdeh in die Zwischenspiele verlegt, Hauptthema dieses Satzes ist eine Ableitung des Höhepunktsthema aus dem 2.Satz , rondoartig.)		
Streichquartett Nr.4:	I 4/4 Sonatenhauptsatz	II 6/8 (Scherzo) chromatisch	III Zentrum Adagio	IV 3/4 (Scherzo) diatonisch	V 2/4 bzw. 3+3+2/8 Hptth. kommt vom 2.Thema des 1.Satzes (Artikulationsvar.) Schluß wie 1.Satz mit Oktavversetzungen und Einschub
Streichquartett Nr.5:	I 4/4 (Triolenmotiv) Sonatenhptsatz(All.) in Brückenform (Umkehrung in der Repr.)	II 4/4 Adagio	III Scherzo 4+2+3/8 A 3+2+2+3/8 B 4+2+3/8 A	IV 3/4 Andante	V 2/4 rondoartig All.vivace Triolenrepetitionen des 1.Satzes werden zu Duolenrepetitionen (T.16,T.157ff.,T.369 ff.) Viola

2. Viele der weiteren "Reihen"permutationen sind nicht mit dem Achsensystem zu erklären (z.B. T. 82/Iff.).

V. Symmetriebildungen

Symmetriebildungen gibt es bei Bartók oft. Nicht, daß diese mit mathematischer Konsequenz behandelt würden, dennoch sind sie konstituierend: Bartók versteht noch Form im traditionellen Sinne, komponiert in geschlossener Form. Die Brückenform des Konzerts verbürgt diese Geschlossenheit+). Im Grunde ist die Brückenform des Konzerts eine auf die Großform übertragene A-B-A-Form, eine Reprisenform. Dieser Wille zur "klassischen" Ausgewogenheit, zur Symmetrie, durchdringt viele Parameter: Melodiebildung, Rhythmik, Harmonik, Instrumentation und Form. Das sei an einigen Beispielen demonstriert.

1. Zur Melodiebildung:

   Grundsätzlich bewirkt ein Pendeln um einen Zentralton symmetrisches Gleichgewicht; dieser Charakter ist sehr vielen Melodiebildungen des Konzerts eigen, z. B. "Vorhang", besonders in der Form T. 115, Hauptthema, T. 3 + 4 des 2. Satzes (hier ist die Symmetrie allerdings sehr frei behandelt), Quartenthema 3. Satz, Zwölftonthema 3. Satz T. 135-136. (Im einzelnen siehe auch die Besprechung der Themen).

+) Derartige Brückenformen gibt es noch klar erkennbar im 4. und 5. Streichquartett, im 2. Klavierkonzert u.a. . In jedem Stück ist die Variationsart allerdings verschieden, siehe auch Tafel VII.

besonders häufig treten in pendelnden Spielfiguren Symmetrien auf:

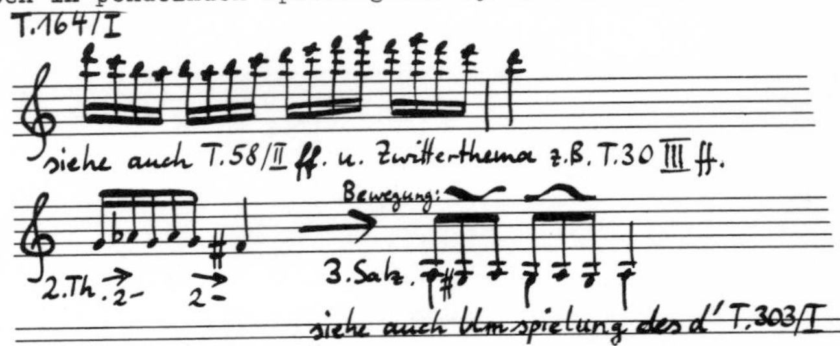

2. Zur Rhythmik:

Rhythmische Symmetrien verbinden sich meist mit melodischen, z.B.:

Generell ist die Synkope ♪♩♪ die einfachste Ausformung rhythmischer Symmetrie.

Interessant die verschachtelten Symmetriebildungen des Hauptthemas T. 7 - 10:

Bei diesem Beispiel ist auch die Artikulation symmetrisch angelegt.

3. Zur Harmonik:

Hier kann die Intervallschichtung symmetrisch sein (um einen - eventuell nur gedachten - Zentralton):

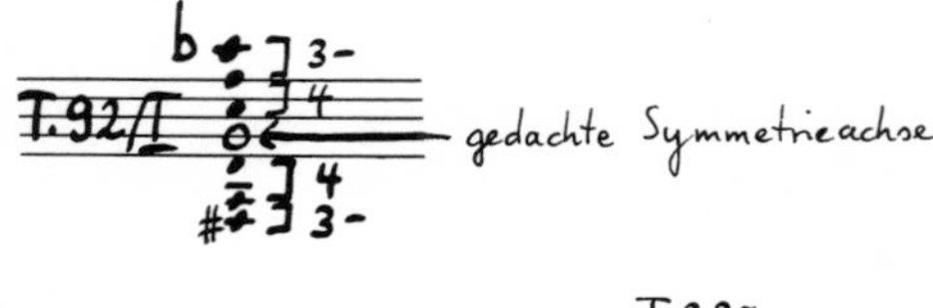

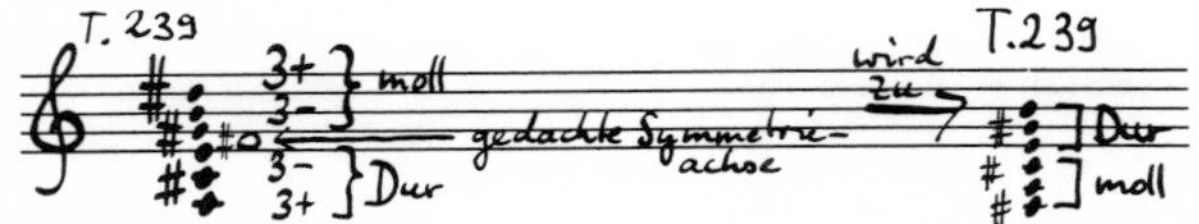

Oft ist die Harmonik in Figuren gebrochen:

Eine besondere Art der Symmetrie ergibt sich, wenn nicht Intervallschichtungen, sondern vollständige Akkorde um eine Achse gedreht werden:

Aber auch ein Thema, das in seiner Anlage auf den ersten Blick nicht symmetrisch scheint, kann über die ihm innewohnende Harmonik symmetrische Eigenschaften erkennen lassen:

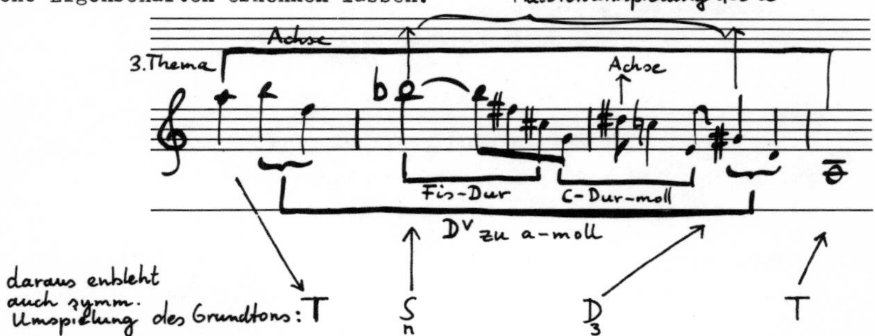

Dieses Thema scheint also eine Verbindung von Linie (fallende Tendenz) und Kreis (Symmetrie). Die neapolitanische Kadenz am Schluß des 1. Satzes gehört auch zu symmetrischen Umspielungen des Grundtons mit assymetrisch gelagerten Akkorden darüber (im Quartabstand, siehe S. 24).

4. Zur Instrumentation:
Instrumentale Symmetrien wirken oft formbildend, z. B. :
1. Satz

Holzbl.	T. 304 Baßklarinette T. 306 Fagott T. 308 Horn	3 Themenkopfeinsätze	d' wird mit Vierteltönen umspielt und verschleiert (Solovioline)
	T. 309 K a d e n z		↕
Holzbl.	T. 355 Horn T. 357 Klarinette T. 358 Englisch-Horn	3 Themenkopfeinsätze	
	Teil c des Themas T. 364		g wird mit Halbtönen umspielt und verschleiert (Hörner)

T. 204/III ff. und 214/III ff.: Vertauschung von Bläsern und Streichern bei gleichzeitiger Umkehrung (Flöten und Bässe, also die "Umklammerungen" als einzige konstant).

5. Zur Form:
Alle Umkehrungen und in noch größerem Maße Spiegelungen T. 194/I) sind als Symmetriebildungen zu verstehen (im einzelnen siehe Analyse 1. und 3. Satz).

Ebenso sind im weitergefaßten Sinne Komplementärvorgänge Symmetriebildungen, z. B. rhythmisch T. 182/183/I.

VI. Der 2. Satz als zentraler Variationszyklus und seine Beziehungen zu den Ecksätzen

Das Thema und seine einzelnen Variationen wurden von Bartók nicht als solche direkt bezeichnet, nur als Abschnitte wurden sie verdeutlicht durch Doppelstriche. Das hat seinen Grund: Die Variationen sind außerordentlich frei und phantasievoll, die Beziehungen multivalent, auch zu den Ecksätzen. Das Thema und seine gering veränderte Reprise umschließen 6 freie Variationen, wobei jede Einzelvariation einen charakteristischen kleinen Kosmos in sich bildet.

Das Thema, Andante tranquillo, weist eine gewisse Verwandtschaft mit dem Hauptthema des 1. Satzes auf, sowohl formal, als auch in vielen Einzelheiten. Konstituierend ist hier wie dort Quarte und Quinte, des weiteren der charakteristische Rhythmus ♪♩ ; die analoge Form wird bei einem Vergleich deutlich:

1. Satz 1. Thema	„Vorhang" 6	a 4, a' 4 (tonale Beantwortung)	b 2, b' 2 (Sequenz)	c 3 (Höhepunkt u. Abgesang)
2. Satz Thema	„Vorhang" 2	a 1, a' 1, a" 2 (Antwort in der Gegenbewegung)	b 1, b' 1 (Sequenz (b+b' sind Varianten von a'))	c 2, c' 2 (Höhepunkt u. Abgesang)

Die Unterschiede werden auch deutlich: c ist durch die zusätzliche Orchesterwiederholung (eine Orchesterexposition fehlt ja) stark verlängert, der Vorhang stark verkürzt. Außerdem sind die Spannungsbögen dem lyrischen Charakter der Melodie angepaßt; alle Teile sind viel enger miteinander verwandt. Im Laufe der Variationen allerdings werden a, b und c gelegentlich charakteristisch stärker unterschieden (Var. 4 und 6). Unmittelbar aus dem "Vorhang" entspringt das Thema der Violine, ihre den G-Dur-Dreiklang umspielende Melodik wird durch die lydische Quarte aufgehellt. Die Harfe spielt dazu ein dem Fagottkontrapunkt T.9/10/I deutlich verwandten Flageolettkontrapunkt. Der im 1. Satz auf dem melodischen Höhepunkt c erklingende Dominantnonakkord wird im 2. Satz zu einer Dominantakkordkette, die in T. 8/9 noch mit Durchgängen und als verminderte Akkorde verschleiert, in T. 10/II dagegen ganz offen als Hemiolenkette in Quintverwandtschaft auftritt. Die Beziehung zum Hauptthema wird sehr deutlich T. 3, 6 + 7 (noch deutlicher in der Version des Bratschenkontrapunktes in der Reprise T. 122):

Der Übergang vom 1. zum 2. Satz ist ungewöhnlich dicht:

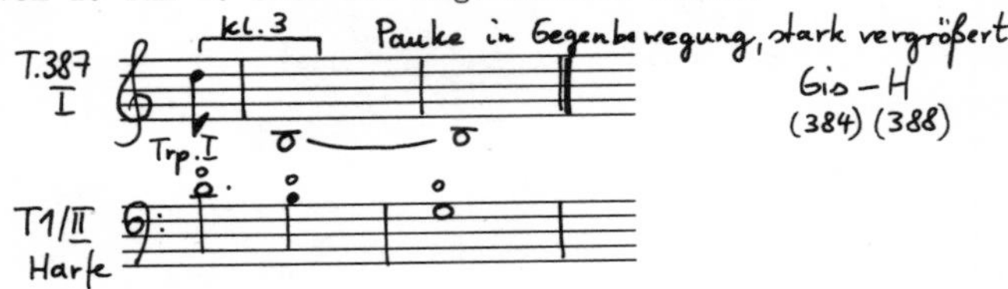

Die Reprise des Themas T. 118 ff. schließt den Zyklus und ist analog der Reprisen im 1. und 3. Satz gestaltet: oktavversetzt, noch lyrischer, mit Imitationen (ab T. 122).+)

Die 1. Variation ist - abgesehen von der Reprise - die themanächste. Ihre Ausdehnung und Anlage ist praktisch gleich; nur der "Vorhang" fehlt,

---

+) Auch hier wird eine - allerdings entfernte - Vorläuferschaft des 1. Violinkonzerts deutlich: 6/8 Takt, Lyrik und Fugato.
Vergleiche auch mit dem Thema des Adagio religioso aus dem Bratschenkonzert:

dafür ist c'' 1 Takt länger. Sie ist eine Figuralvariation. Ihre starke Chromatik, in der Solovioline als Umspielung, in der Pauke (T. 14 ff.) und Streichern als Linien, erinnert an ein wesentliches Gestaltungsprinzip des 2. Themas im 1. Satz.

Kann man Thema und 1. Variation als Analogon zum 1. und 2. Thema im 1. Satz sehen, so kann man die 2. Variation zum 3. Thema rechnen; sie ist zwar nicht zwölftönig (wenn auch ihre Expressivität zeitweilig an dieses Thema erinnert, besonders an seine Ausformung im 3. Satz), hat aber den für das 3. Thema charakteristischen Wechsel Solo-Tutti, wobei jetzt die Isometrie in den Triolenfiguren der Harfe liegt (vergleiche mit T. 129/III ff. + 135/III ff.). Das Prinzip der Sequenzierung wird ausgebaut: T. 30/31, T. 38/39/40. Die Form ist etwas geweitet.+) Derartig zusätzliche Sequenzen erscheinen auch in der 3. Variation (T. 47/48, T. 54 ff.). Diese 3. Variation ist gleichzeitig die erste Ausformung des "Zwitter"themas 3. Satz (siehe S. 11ff.). Auch hier die deutliche formale Herkunft vom 2. Thema (jeweils Kopf + Fortspinnung) und umspielende Chromatik:

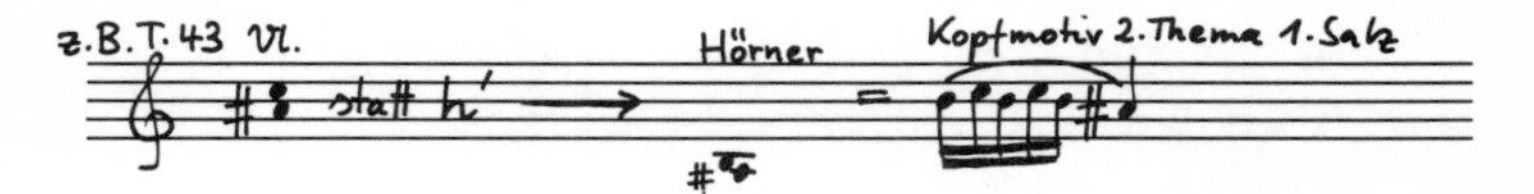

In der nächsten Variation T. 58 wird die Melodie zunächst in den tiefen Streichern variiert. Dies Lento scheint an Stelle einer Kadenz zu stehen. Außerdem ist die virtuose Figurik in ihrem Pendelcharakter und ihrem Quintaufschwung der Zielnoten ein direkter Vorläufer des "Zwitter"-themas im 3. Satz:

+) T. 24/25 ganz versteckt das Vorhangmotiv:

Die Ausformung des Gerüstes scheint im 2. Satz gegenüber dem 3. Satz gespreizt (die entscheidenden Charakteristika von Variation 3 + 4 ergeben dann im 3. Satz das "Zwitter"thema).

Kleinste Motivhinweise auf α sind an den tieferen, irregulär geführten Noten der 32stel abzulesen:

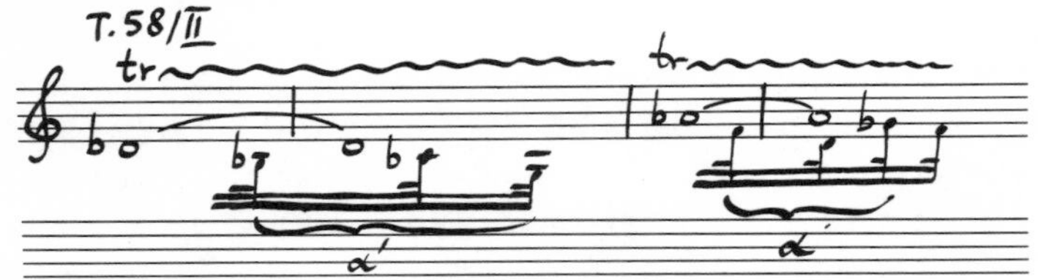

Statt der Sequenzen b + b' des Themas und Abgesang c beginnt T. 69 ein Fugato (variiertes Thema von T. 58 in einer freien Umkehrung), Einsatzfolge zunächst in Quarten: T. 69 a, T. 70 es, T. 71 b, T. 72 f, dann als Ganztonleiter:

T. 73 ff.: es-des-h-a .

Auch hier versteckt Quarten und Quinten:

Vielleicht ist aus der Häufung der verminderten Quinte an den Sequenzanschlußstellen auch die Notwendigkeit der ersten verminderten Quinte T. 69 zu erklären?

Den aufsteigenden Quinten des Fugato entsprechen die absteigenden, sequenzierten der "Kadenz":

So ergibt sich als Form dieser Variation:

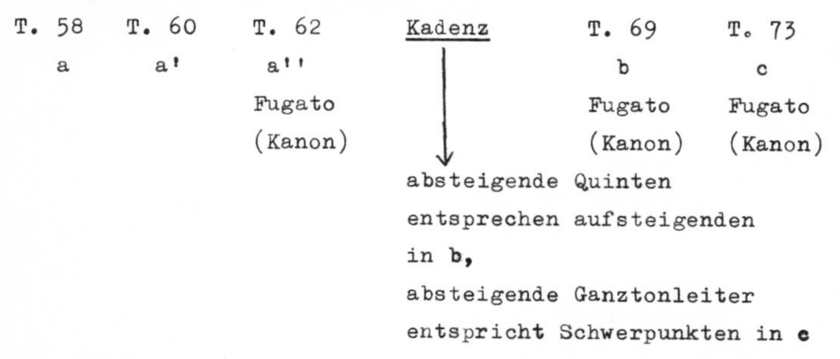

T. 58	T. 60	T. 62	Kadenz	T. 69	T. 73
a	a'	a''		b	c
		Fugato		Fugato	Fugato
		(Kanon)		(Kanon)	(Kanon)

absteigende Quinten
entsprechen aufsteigenden
in b,
absteigende Ganztonleiter
entspricht Schwerpunkten in c

Die folgende 5. Variation, Allegro scherzando, spielt mit mannigfaltigen Verwandlungen des Motivs β. Formal und durch ihre Chromatik bezieht sie sich im wesentlichen auf das 2. Thema, wobei allein der Kopf mit seinem Quintsprung und seiner quasi tonalen Beantwortung vom Hauptthema abgeleitet erscheint.

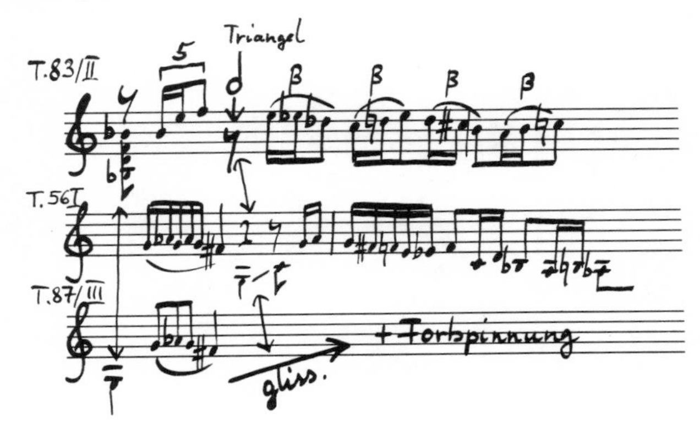

In der Gesamtform bezieht sich dieses Scherzando wieder deutlich auf das Variatiomsthema.

Reprisen mit Fugati, Imitationen etc. zu verdichten, ist eine häufig von Bartók verwendete Technik. Bei der Besprechung des 3. Satzes sahen wir, wie Bartók die gedehnte Reprise T. 320 mit Kleinstimitationen erfüllt. In der 5. Variation scheinen ganz ähnliche Verhältnisse vorzuliegen (so T. 85, 88/89, 93/94). Vertritt diese 5. Variation vielleicht eine veränderte Reprise der 3. Variation?
Die Kanontechnik wird in der 6. Variation zum Prinzip erhoben (Streicherpizzikati). Auch diese Variation scheint mit dem 2. Thema, 1. Satz, am meisten Gemeinsamkeiten zu besitzen:

1. Pizzikati, hier wie dort mit dem Päon beginnend
2. in der Solovioline ständig Varianten des Kopfes, ebenso in Pauke und Trommel als Imitationen:

Die Gerüstmelodie, durch Bartókpizzikati zusätzlich betont bis T. 110, ergibt folgende Linie:

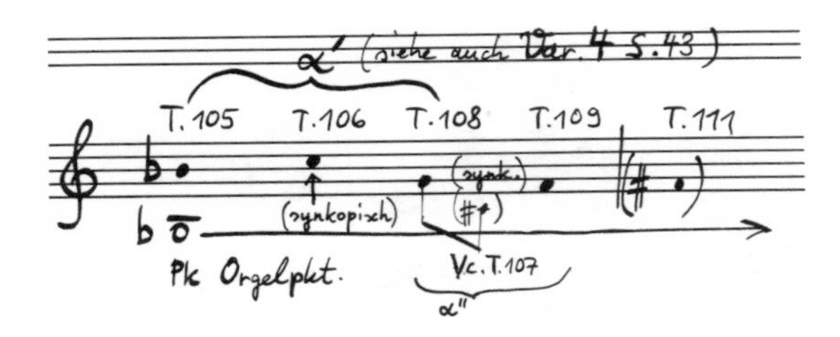

Zusammenfassend stellt sich die Form des 2. Satzes so dar:

	(entfernt verwandt mit):
Thema T. 1	1. Thema/1. Satz
1. Variation T. 12	2. Thema/1. Satz
2. Variation T. 23	3. Thema/1. Satz
3. Variation T. 43	"Zwitterthema"/3. Satz
4. Variation T. 58	"Zwitterthema"/3. Satz Kadenzfunktion
5. Variation T. 83	2.Thema (Reprisenfunktion?)
6. Variation T.105	2.Thema +"Zwitterthema" (Reprisenfunktion?)
7. Variation T.118	1. Thema Reprise des Variationsthemas

Obige Übersicht zeigt, wie auch dieser 2. Satz, ein Variationensatz für sich, in die Variationsform des ganzen Konzerts integriert ist. (Siehe auch Kapitel über Symmetriebildungen S.36).

VII. Nachwort

Der 1. Satz des Violinkonzerts ist ein besonders überzeugendes Beispiel von Bartóks Kompositionsstil. Hier erreicht die weitgehend umgekehrte Reprise zweierlei:

1. permanente variative Weiterentwicklung
2. Steigerung der schon in der Sonatenform begründeten Symmetrie.

Symmetrie als Statik und permanente Variation als Dynamik scheinen sich zu widersprechen. Und doch ist es gerade die hier gelungene organische Synthese von Statik und Dynamik[+)], die Bartóks Violinkonzert zu einem der größten überhaupt werden läßt. Es ist die Synthese von B a c h ("letzter hoher Sinn des Kontrapunkts"), B e e t h o v e n ("Offenbarung der Entwicklungsform") und D e b u s s y ("Sinn für Akkorde"), die Bartók selbst als höchstes künstlerisches Ziel ansah[++)]. Außerdem erscheint - bei Bartók selbstverständlich -die F o l k l o r e in das Konzert vollkommen integriert (siehe auch Vorwort S. 3).

Im Laufe der Analyse sahen wir den ungeheuren Reichtum an Verknüpfungen bei gleichzeitig charakteristischen Gegensätzen. "Vielfalt in der Einheit", dieser Satz trifft für Bartóks Violinkonzert voll und ganz zu.

+) Statik und Dynamik werden andererseits auch <u>formal</u> wirksam; in sich geschlossene Themen, wie 1. und 3., haben statischen Charakter, Überleitungen und Themen mit Überleitungsfunktionen dynamischen. Dies braucht vom Interpreten durch Tempoverzerrungen nicht noch unterstrichen zu werden, da sonst leicht der hörbare Zusammenhang verloren geht.

++) Bartók in einem Gespräch mit Serge Moreux 1939 (S.Moreux "Bela Bartók" Atlantis Verlag Zürich, 1950)

Literaturnachweis:

1. Bence Szabolcsi: Béla Bartók Weg und Werke
Schriften und Briefe
Corvina-Verlag Budapest 1957

2. Everett Helm: Béla Bartók
rororo-Bildmonographie 1965

3. Lajos Lesznai: Béla Bartók
Sein Leben - seine Werke
Leipzig (Deutscher Verlag für Musik) 1961

4. Bence Szabolcsi: Béla Bartók
Verlag Philipp Reclam jun. Leipzig 1968

5. Heinrich Lindlar: Musik der Zeit: Ungarische Komponisten
Verlag Boosey & Hawkes GmbH Bonn 1954

6. Roswitha Traimer: Béla Bartóks Kompositionstechnik
Bosse Verlag Regensburg 1956

7. Documenta Bartókiana I. und II. Budapest 1964/65

8. Diether de la Motte: Musikalische Analyse
Bärenreiter 1968

9. Carl Dahlhaus: Analyse und Werturteil
Musikpädagogik Schott Band 8, 1970

10. Victor Zuckerkandl: Der musikalische Zeitbegriff aus
Die Wirklichkeit der Musik
Rhein Verlag Zürich 1963

11. Musik im Leben Band II und III
Verlag Diesterweg 1963

Forschungsbeiträge zur Musikwissenschaft

Band 25

Karl-Jürgen Kemmelmeyer

Die gedruckten Orgelwerke Olivier Messiaens bis zum „Verset pour la fête de la Dédicace"

I Textteil 234 Seiten – II Tabellenteil 388 Seiten
(DIN A 4 quer) – komplett DM 98,–
Best. Nr. BE 2108 ISBN 3 7649 2108 0

Gustav Bosse Verlag
Regensburg

Kölner Beiträge zur Musikforschung

Band 63

Theodor Hundt

Bartóks Satztechnik in den Klavierwerken

278 Seiten – Notenbeispiele – DM 38,–

Best. Nr. BE 2067 ISBN 3 7649 2067 X

Gustav Bosse Verlag
Regensburg

Kölner Beiträge zur Musikforschung

Band 76

Das deutsche nachromantische Violinkonzert von Brahms bis Pfitzner

(Entstehung und Form)

224 Seiten

Gustav Bosse Verlag
Regensburg